GUIDE DE
MADRID

Photographies : Jorge Toledo, Oriol Llauradó et
Archive Photographiques FISA-Escudo de Oro.

Texte littéraire, diagrammation et reproduction entièrement
conçus et realisés par les équipes techniques d'
EDITORIAL FISA ESCUDO DE ORO, S.A.

Vue aérienne de la Grand Place (Plaza Mayor) ; au fond, le Palais Royal et le Théâtre Royal.

LA VISITE A MADRID

Stratégiquement située au centre de la Péninsule Ibérique, Madrid se dresse à 650 mètres d'altitude, sur une série de collines et de ravins formés par le lit du Manzanares. La sierra du Guadarrama, très proche, a une influence décisive sur le climat et en fait l'une des villes les plus salutaires d'Europe, avec des températures agréables au printemps et en automne. La barrière naturelle de la sierra fait aussi de Madrid une des villes les plus ensoleillées de l'année : 200 jours de ciel clair –les fameux ciels de Vélasquez–. Tout ceci fait de Madrid une grande ville dans laquelle il est agréable de se promener. L'ayant très bien compris, la ville offre de très belles avenues et des allées accueillantes, des jardins, nombreux, qui sont une agréable parenthèse à son excellent panorama culturel et monumental. En arrivant en ville nous avons, cependant, l'impression que la vie passe très vite. Il ne faut pas se laisser troubler par cette première impression et ne pas se sentir agressé par la circulation intense. N'oublions pas que nous nous trouvons au centre politique et économique du pays. Nous trouverons ici une ville avec une population très vivante, qui aime vivre dans la rue et participer à tous les événements possibles mais qui aime aussi jouir de la tranquillité de ses parcs.
Nous vous proposerons dans ce guide 14 itinéraires qui vous permettront d'avoir une vision globale de Madrid, de comprendre son évolution du Moyen Age à nos jours avec les dernières interventions urbaines. Vous trouverez tout d'abord trois chapitres dédiés à l'histoire de la ville, à ses fêtes populaires et à sa gastronomie. A la fin

Porte d'Alcalá.

de ce guide, un dernier chapitre vous permettra de connaître les alentours de Madrid et tout particulièrement les Reales Sitios (Sites Royaux). Le guide inclut aussi à la fin un index de monuments et lieux intéressants. Sur les revers de la jaquette vous trouverez le plan de la ville et celui du métro.

Les 14 itinéraires à travers Madrid sont classés en trois catégories : (***), (**) et (*) compte tenue de la valeur historique et artistique des monuments cités, la saveur populaire et pittoresque des zones visitées. Nous vous indiquons aussi le meilleur moment pour réaliser la visite : (M), le matin, (AM), l'après-midi et (TJ), toute la journée. Nous avons aussi fait un classement des points d'intérêts individuellement suivant si nous considérons la visite indispensable (***), intéressante (**) ou attirante (*).

Une journée à Madrid

Si vous ne disposez que d'une journée et vous ne connaissez pas la ville, il vous faudra parcourir le Promenade du Prado (itinéraire 6), avec ses fontaines et ses musées d'art (le Prado, le Thyssen-Bornemisza et le Centre d'Art Reine Sofia qu'il faudra laisser pour une autre occasion). Depuis la Place de la Cibeles nous vous recommandons d'arpenter la Rue d'Alcalá, cette emblématique rue madrilène. A un bout, la fameuse Porte d'Alcalá et à l'autre, la Puerta del Sol (itinéraire 5). Cette promenade se poursuivra à la Calle Mayor près de laquelle se trouve la Plaza Mayor (itinéraire 2), un autre endroit emblématique qu'il faut voir à tout prix, durant la journée ou le soir, peu importe. Après ce petit arrêt et si on en a encore le courage, il faut poursuivre la Rue Mayor. A mi-chemin nous arriverons à la Place de la

Palais des Communications et Fontaine de la Cibeles.

Villa (itinéraire 2) et, au bout de la rue, la cathédrale de l'Almudena (itinéraire 3). Si la nuit est tombée, la meilleure option sera de parcourir la Gran Vía (itinéraire 4) et ses alentours où abondent les restaurants et les bars dans lesquels conclure un bonne journée.

Deux jours à Madrid

Nous pourrons ajouter, à l'itinéraire précédent qui inclut les endroits les plus connus et les plus emblématiques de la ville, d'autres endroits tels le Palais Royal (itinéraire 3), la Place d'España (itinéraire 4) et le Parc du Retiro (itinéraire 6). Le dimanche matin il faut aller connaître l'ambiance du Rastro (itinéraire 8), les fameuses Puces et les plus intéressantes de Madrid qui s'installent à la rue Ribera de Curtidores et rues adjacentes. Vous n'y achèterez peut-être rien mais vous y trouverez de tout.

Si vous voulez visiter un musée d'art, le Prado est la meilleure option mais il ne faut pas mépriser les importantes collections du Musée Thyssen-Bornemisza, le Centre d'Art Reine Sofia (c'est ici que se trouve le Guernica de Picasso) et même l'Académie Royale des Beaux Arts de San Fernando. Installée à la rue d'Alcalá, elle possède de magnifiques toiles de Goya et Zurbarán parmi de nombreux autres noms espagnols et européens.

Les propositions des musées de Madrid sont très larges et il y en a pour tous les goûts. Il suffit de regarder l'index des monuments et des points d'intérêt à la fin du livre, pour trouver ce que vous préférez. La liste des parcs de la ville est aussi très longue. Mais si vous devez en choisir un autre que celui du Retiro (itinéraire 6) vous pourriez choisir le Parc de la Montaña avec son fabuleux temple de Debod (itinéraire 11).

Ceux qui aiment l'architecture et l'art religieux ne trouveront pas à Madrid des églises particulièrement intéressantes. Il faut cependant signaler deux monastères : celui des Déchaussées Royales et celui de l'Incarnation (itinéraire 4).

Quelques jours de plus à Madrid

Nous avons déjà cité de multiples points d'intérêt qui occupent, dans l'ensemble, plusieurs jours de visite. Il s'agit donc de profiter, chacun suivant son rythme, de toutes les possibilités qu'offre la capitale du pays aussi bien au niveau des monuments qu'à celui des musées. Sans oublier bien sûr l'aspect gastronomique. La liste de recommandations pourrait encore s'allonger. La Place d'Orient et le Théâtre Royal (itinéraire 3), le Congrès des Députés avec ses célèbres lions (itinéraire 5), l'Eglise des Jerónimos (itinéraire 6), la Bibliothèque Nationale et le Musée Archéologique avec ses merveilleux trésors (itinéraire 9) et le Promenade de la Castellana (itinéraire 12), avec ses immeubles modernes tels le Complexe AZCA ou les surprenantes silhouettes des Tours Kio.

Hôtel de Ville.

La Plaza de Castilla et les Tours Kio.

Groupe sculptural représentant l'empereur Charles Ier dominant le fureur (Musée du Prado).

ANTÉCÉDENTS HISTORIQUES

L'origine de la Ville

La zone du Manzanares fut, dès la préhistoire, une vallée riche et fertile avec une faune variée. Ceci favorisa l'installation de population dans ce site. Durant l'Âge du Fer, Madrid n'était qu'un petit village étendu sur la rive du fleuve. Madrid conserve de l'époque romaine des vestiges de villas à Carabanchel et à Villaverde. Au Ve siècle, les Wisigoths s'établirent dans la Péninsule, surtout sur la Meseta. Madrid n'était encore qu'un hameau.

Mais la fondation de Madrid comme ville est islamique et eut lieu grâce à l'émir Mohammed Ier (852-886) qui la choisit en raison de son emplacement stratégique pour la défense de Tolède. Le Madrid arabe s'installerait autour de la casbah que fit construire Mohammed (et où se dresse aujourd'hui le Palais Royal). C'est à la fondation de la ville que naquit le nom de Macher-it, c'est-à-dire, « mère d'eaux abondantes ». Ce nom fait référence à la richesse des cours d'eau du sous-sol madrilène qui arrosaient généreusement la ville et les terrains environnants. Reconquise par les chrétiens, le nom « s'hispanisa » pour devenir le Magerit médiéval, qui, avec le temps, devint Madrit, puis, finalement, Madrid.

La ville fut définitivement reconquise en 1085 par Alphonse VI, après plusieurs tentatives infructueuses. Plus que pour y vivre, la ville fut construite à des fins de défense ; la muraille fut très importante dans la croissance de Madrid et dans son développement postérieur car c'est à travers ses murailles et ses portes que passaient les chemins principaux, donnant ainsi une forme radiale à la ville. La ville allait croître autour de la médina, des faubourgs se formant en dehors de ses murs. La population se regroupa et forma dix paroisses ou « collations » qui constituaient leurs quartiers respectifs. La plupart des habitants de la ville vivaient de l'agriculture dans la mesure où s'agissait d'une ville profondément rurale. D'où le fait que le patron de la ville soit saint Isidore Laboureur.

Madrid fut toujours une ville royale et particulièrement fidèle à ses souverains. C'est pour cela qu'Alphonse VI et Alphonse VII lui donnèrent un brefs droit régional, des privilèges et des franchises, qui furent ultérieurement élargis par les monarques suivants. La Charte de Madrid date de 1202 et couvre une période de 90 ans (dispositions dictées d'Alphonse VII à Ferdinand III le Saint). Elle est écrite dans un mélange de latin et de roman et constitue un miroir de la vie de l'époque ; elle décrit la ville telle qu'elle était, avec ses murailles,

ses ponts, ses portillons, ses maisons, ses paroisses et « collations » et venait en outre régir la vie des citadins ; il s'agit en effet des premières lois écrites au sujet de la vie municipale.
La population de la ville ne devait pas dépasser les 5 000 habitants à la fin du Moyen Age bien que la croissance démographique fût importante à l'époque des Rois Catholiques et de Charles Ier.

La dynastie des Habsbourg

L'idée moderne d'État naquit avec les Rois Catholiques. C'est une idée de la Renaissance qui permit la naissance d'une nouvelle Espagne, unitaire et monarchique.
L'empereur Charles Quint (1516-1555), premier roi de la dynastie des Habsbourg, eut un intérêt très particulier pour la ville car la végétation et la faune madrilènes étaient privilégiées pour la chasse, distraction favorite du roi. C'est dans ce but que l'empereur fit remanier l'Alcazar : il en fit démolir une partie afin de construire une place et fit refaire la façade. Ceci eut une influence sur les familles nobles qui commencèrent à faire construire leurs premiers palais urbains.
Mais le « Madrid des Habsbourg » ne commença qu'en 1561, lorsque Philippe II (1556-1598) nomma Madrid capitale de l'Empire. Un processus de développement extraordinaire s'ouvrit alors : durant le règne de ce monarque la population tripla et passa de 20 000 à 60 000 habitants. C'est de cette époque que date la « Junta de Policía y Ornato Público » (Conseil de police et attitude publique) dont le but était « qu'il y ait propreté, beauté et agrément indispensables » à la Ville de Madrid. L'activité de ce Conseil fut très importante car, la ville n'ayant pas d'ordonnances, il se chargea de faire appliquer certaines normes. La « Loi de Régale et Demeure » fut alors dictée : elle obligeait les madrilènes à céder une partie de leur maison pour y recevoir les hôtes illustres qui arrivaient à Madrid. C'est ainsi que naquirent les « maisons de la malice », dont la structure était telle qu'il était impossible de les diviser. Le résultat fut des maisons laides, impropres de la capitale d'un royaume.
Durant le règne de Philippe III (1598-1621) la ville connut de grandes œuvres de réforme, aussi bien dans l'aspect urbain qu'architectural. Ces travaux furent confiés à Francisco de Mora, puis à son neveu, Juan Gómez de Mora, premiers architectes municipaux de la ville. C'est de cette époque que datent la construction de la Plaza Mayor, la transformation de la Calle Mayor et la fondation du Buen Retiro, sous le règne de Philippe IV (1621-1665). Le plan de Pedro Teixeira date de 1656. Nous pouvons y voir le Madrid de cette époque : une grande ville, comptant près de 100 000 habitants et 11 000 bâtiments

Portrait de Philippe II, d'Alonso Sánchez Coello (Musée du Prado).

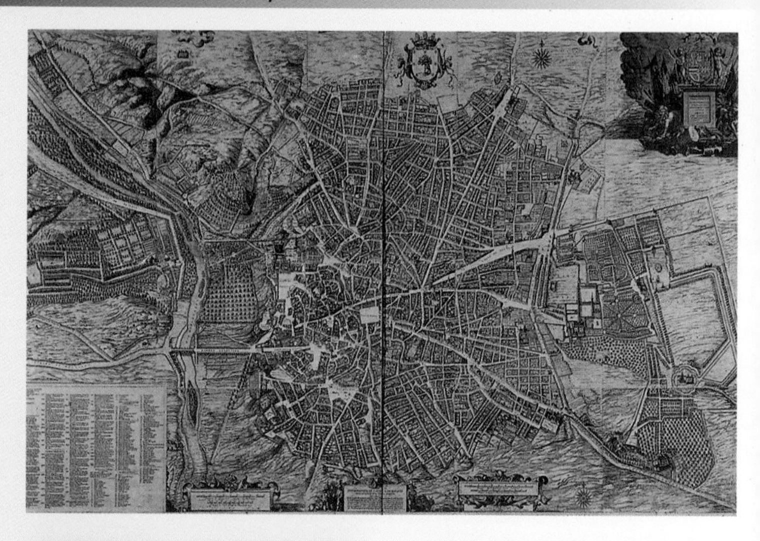

Carte de Madrid réalisée en 1656 par Pedro Texeira.

mais avec, maintenant, une physionomie caractéristique car, avec ses chapiteaux et ses clochers qui se découpaient dans le ciel, Madrid avait l'aspect d'une ville conventuelle. Il y avait cependant des bâtiments civils très importants : citons la nouvelle façade de l'Alcazar, l'Hôtel de Ville et la prison de Corte. Parmi les nouvelles rues nous trouverons celle d'Alcala et celle d'Atocha, Fuencarral et Hortaleza, Toledo et Segovia qui conservent les caractéristiques des époques d'antan : anciens chemins ruraux transformés en voies publiques.

La Maison des Bourbons à Madrid

Après l'arrivée de Philippe V à Madrid en provenance de la Cour de Versailles, avec lequel s'instaura la maison des Bourbons en Espagne après la Guerre de Suc-

Portrait de Philippe IV jeune, de Velázquez (Musée du Prado).

cession espagnole (1701-1714), la capitale s'engagea dans un lent processus vers la modernisation. Durant le siècle précédent, la ville présentait un aspect sale et négligé, avec des rues étroites et poussiéreuses qui contrastaient avec la nouvelle mentalité illustrée venant d'Europe. Le premier Bourbon supposa pour Madrid une profonde transformation pour Madrid, transformation qui se poursuivit durant les règnes successifs et qui fit de la ville une commune moderne, semblable aux villes européennes. De nombreux travaux furent réalisés durant le XVIIIème siècle. Les plus importants furent les travaux urbains qui changèrent profondément la ville en très peu de temps. Les plans de Tomás López y Chalmandrier (1761) d'Espinosa de los Monteros (1769) et de Tomás López (1785) nous présentent clairement l'agrandissement et l'amélioration de la ville durant ce siècle.

Buste de Philippe V, de René Fermín (Palais Royal de Madrid).

Sous le règne de Philippe V (1701-1746), Francisco Antonio Salcedo, marquis de Vadillo et l'architecte Pedro de Ribera donnèrent un grand élan au remaniement urbain. Ils formaient un binôme hautement important pour le bien-être de la ville. Durant ces années, de grands bâtiments furent construits : les casernes du Conde Duque, les palais de Miraflores, Ugena et Perales, l'Hospice, les églises de Montserrat et de saint Gaétan. Les grands travaux de réaménagement urbaine eurent aussi lieu à cette époque : le pont de Tolède (qui résolut le passage du Manzanares, au sud de la ville), la promenade de la Virgen del Puerto et la porte de San Vicente. C'est aussi durant ce règne qu'eut lieu un événement important pour Madrid : l'incendie de l'Alcazar, en 1734, qui obligea le roi à commander les plans d'un nouveau palais.

Les promenades qui partent du rond-point d'Atocha, en forme de trident, furent tracées sous le règne de Ferdinand VI (1746-1759) et les arènes furent construites à côté de la porte d'Alcalá. C'est alors que les idées illustrées, qui étaient nées quelques années auparavant, commencèrent à porter leurs fruits. Durant le règne précédent, on avait déjà assisté à la fondation de la Bibliothèque Royale, de la Manufacture de la Granja et de l'Académie Royale

Portrait de Ferdinand VI, de Louis Michel Van Loo.

Portrait de Charles III, de Raphael Mengs (Musée du Prado).

Portrait de Charles IV, de Goya (Musée du Prado).

d'Histoire. On assistait maintenant à la création de l'Académie Royale des Beaux-arts de saint Ferdinand.

Mais ce fut le gouvernement de Charles III (1759-1788) qui donna à Madrid sa plus grande splendeur. Sur le plan urbanistique, des travaux de grande envergure, tels que la construction du Salon du Prado, l'instauration des Rondas et de la place de la porte de Toledo, furent entrepris. On soigna aussi les accès à la ville, les alentours, l'infrastructure et les services publics. À l'intérieur de la ville, on construisit de grands bâtiments, tels que l'Académie Royale et l'Hôpital Général, de Sabbatini, et la Maison de la Poste. À cette époque, la noblesse commença à faire construire de magnifiques palais qu'ils entouraient de grilles afin que le jardin puisse être vu de la rue dans laquelle il se trouvait. On vit alors naître, parmi tant d'autres, les palais de Buenavista, Villahermosa et Liria.

Madrid devait alors compter 150 000 habitants, qui occupaient 7 500 maisons distribuées sur 557 pâtés.

Charles IV (1788-1808) s'intéressa davantage aux Sites Royaux qu'à la ville et de nombreux travaux commencés sous le règne précédent s'achevèrent alors.

Le Madrid « isabélin » et de la Restauration

Durant les premières années du XIXème siècle, Madrid vécut un grand nombre d'événements d'une grande importance pour l'histoire de la ville : l'héroïque 2 mai 1808, date du soulèvement du peuple madrilène contre les français ; le bref règne de José Ier, frère de Napoléon Bonaparte, entre 1808 y 1814 ; le retour de Ferdinand VII, en 1814 ; et les années ultérieures, qui supposèrent un lent processus vers la normalisation du pays.

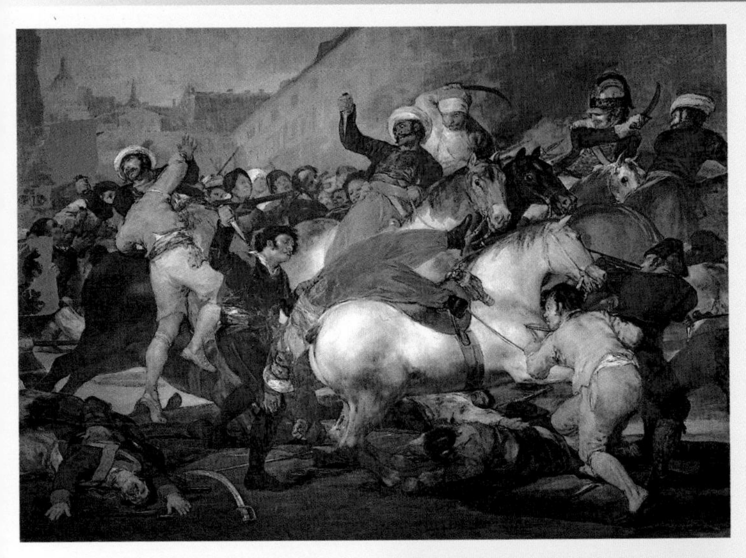

« Le 2 mai 1808 à Madrid : la lutte contre les mameluks », oeuvre de Goya (Musée du Prado).

Mais ce fut sous le long règne d'Isabelle II (1833-1870) que la ville se transforma de façon définitive. La consolidation de la bourgeoisie en tant que classe sociale dominante fait construire des palais et de grandes demeures qui font la compétence aux palais de la noblesse à laquelle cette nouvelle classe veut se comparer. Parallèlement ont lieu les travaux d'amélioration et de remodelage afin de situer Madrid au même niveau que les autres villes européennes. C'est ainsi que l'on entreprend des remaniements urbains dans le vieux quartier de Madrid et de la porte del Sol et que l'on supprime le mur d'octroi de Philippe IV.

Portrait de Ferdinand VII, de Goya (Musée du Prado).

Madrid, comme d'autres villes européennes, Londres ou Paris, planifie des quartiers en échiquier afin de rationaliser son tracé : le Plan Castro comprend les nouveaux quartiers de Salamanca, Argüelles et Las Peñuelas. Durant ces années, Madrid vit se dresser de magnifiques bâtiments : le Théâtre Royal et le Congrès des Députés. Mais il n'y eut pas seulement des travaux architecturaux et

Gravure du XIXème siècle de la Place de la Cibeles.

urbains, mais aussi tout ce dont a besoin une « ville » moderne : on inaugura le Canal d'Isabelle II et le chemin de fer. Les routes et les entrées à la ville furent aussi soumises à une restructuration.

Durant les Six Ans Révolutionnaires, des projets d'amélioration de la ville furent réalisés et contemplés par Fernando de los Ríos dans son « Futur Madrid », mais durant la période de la Restauration ces projets ne furent écartés, ce qui eut une influence considérable dans le processus de croissance de la ville. Durant cette époque, le phénomène d'immigration de la campagne à la ville sera constant et c'est pour cela que Madrid fabrique trois espaces urbains différents: l'intérieur ou centre, l'« ensanche » ou quartier en échiquier et les faubourgs.

Durant le dernier tiers du XIXème siècle, Madrid fut le reflet fidèle de la ville de la fin de siècle bourgeois. On y construisit la Bibliothèque Nationale, la Bourse, le Sénat et la Banque d'Espagne. Mais ce fut aussi l'époque du Madrid authentique, des « corralas » (cours intérieures), des petites mains et des orgues de Barbarie. Un Madrid à forte personnalité qui bat son plein dans les « bas quartiers » et qui donnera, pendant longtemps, un caractère particulier à la ville.

Le XXème siècle

La croissance de la population de Madrid, à la fin du XIXème siècle, fut excessive. Ceci obligea à entreprendre quelques transformations urbaines urgentes qui touchèrent l'intérieur de la ville, avec la création de la Gran Vía et, dans les faubourgs, avec la formation de la *Ciudad Lineal* (Ville Linéaire), réalisée par Arturo Soria. Dans le premier tiers du XXème siècle, on vit se développer Madrid en tant que symbole de la nation. La ville se modernisa, son infrastructure fut améliorée avec le nouveau tout-à-l'égout, l'électricité, le pavage des chaussées et, le plus important, l'inauguration du Métropolitain, en 1919. Un autre projet important de cette époque fut celui de la Cité universitaire ; placé sous la tutelle per-

sonnelle du roi, Alphonse XIII, ce dernier fit don de terrains et créa un conseil afin d'étudier les éventuels projets à développer. Le modèle de « campus » américain fut choisi.
Durant la République (1931-1936), un projet d'expansion de Madrid se développa ; celui-ci prévoyait l'expansion de la ville vers le nord, dans la ligne de la Castellana. Le premier tronçon de l'avenue fut inauguré en 1933. D'autre part, le terrain de chasse royale de la Maison de Campagne devint propriété municipale.
À la guerre civile (1936-1939), vécue Madrid avec une intensité toute particulière, succède la dictature du Général Franco, qui gouvernera le pays jusqu'à sa mort, en 1975. Durant les années cinquante, les grattes-ciels de la place d'España furent construits, les nouveaux quartiers périphériques pour la classe moyenne surgissent et Madrid absorbe les villages environnants afin de former la grande ville métropolitaine actuelle.
En 1950, Madrid compte un million et demi d'habitants et, en 1960, ce chiffre dépasse déjà les deux millions. Suite au Plan de Stabilisation de 1959, Madrid s'engage dans une étape de développement. Une activité frénétique s'installe alors dans la ville. On veut la rendre « habitable » pour les voitures : les boulevards bordés d'arbres disparaissent et les passages surélevés apparaissent, ainsi que les parkings souterrains. On construit la M-30 tout au long de l'ancien ruisseau Abroñigal. En 1970, Madrid compte plus de trois millions d'habitants.
À partir des années 80, Madrid devient une ville moderne en transformant des zones comme celle de la Castellana, la place de Colon et la place de Castilla, alors que surgissent de nouveaux espaces qui concentrent les meilleurs exemplaires de l'architecture d'avant-garde comme le pâté de maisons d'« AZCA » (1978-1985), les Tours Porte d'Europa (1996) et le centre d'affaires Cuatro Torres Business Area (2004-2009). De même, le caractère de la ville change pour établir les bases d'une ville plus habitable. Le patrimoine construit est protégé par un plan spécifique, la circulation dans le centre est réduite et le transport public amélioré et de nouveaux parcs sont construits. De même, un nouveau plan d'urbanisme se met en marche ; ce dernier planifiera le présent et l'avenir de la ville d'une façon plus humaine et rationnelle. À titre d'exemple, nous pouvons citer les autoroutes autour de la ville M-40, M-45 et M-50. Grâce à ces mesures, Madrid peut aujourd'hui se vanter d'être l'une des villes européennes les plus agréables et accueillantes.

Tour d'Espagne, tour de télécommunications de Radio Télévision Espagnole.

Couple dansant le « chotis ». Le « chotis » est une musique lente jouée par un orgue de Barbarie. Les femmes revêtent le costume traditionnel de « chulapa » : robe cintrée, châle, foulard blanc sur la tête et fleurs dans les cheveux ; alors que les hommes s'habillent de « chulo » : costume trois pièces et casquette à carreaux noirs et blancs.
Les fêtes les plus habituelles pendant lesquelles les madrilènes revêtent ordinairement les costumes traditionnels et dansent le « chotis » sont les fêtes nocturnes de la Paloma et la Foire de San Isidro.

FÊTES POPULAIRES

Les habitants de Madrid ont toujours aimé célébrer dans la rue toutes les fêtes qu'offre le calendrier. Le cinq janvier on peut assister à la cavalcade des Rois mages qui parcourt les principales rues de la ville. En février, les fêtes de Carnaval commencent officiellement avec le ban lu par la muse du Carnaval, avec des prix pour les carrosses les mieux décorés. Durant ces jours de fête nous pourrons aussi assister au concours de « chirigotas » et aux bals populaires organisés par la Mairie. Les fêtes s'achèvent le mercredi des cendres, jour de l'enterrement de la sardine avec son cortège en deuil.

Entre mars et avril, c'est la Semaine Sainte et Pâques avec les nombreuses processions. Signalons celles de Jésus le Pauvre, le Grand Pouvoir et la Macarena, le jeudi; Jésus de Medinaceli, la Dolorosa et le Silence, le vendredi, avec aussi la procession du Christ au cloître du monastère des Déchaussées. Il s'agit d'une magnifique statue de Gaspar Becerra. Et finalement, le samedi, nous pourrons admirer le Saint Enterrement sur la place Mayor.
Le deux mai a été la date choisie pour célébrer le jour de la Communauté autonome de Madrid avec diverses activités culturelles et ludiques. Mais la semaine du 15 mai, Fête de saint Isidore, patron de Madrid, est la semaine des

Le Gaufrier, ou personne qui vend des gaufres, est un personnage typique de Madrid, présent dans presque toutes les fêtes.

grandes fêtes: concerts, représentations théâtrales, marionnettes et passacailles, expositions de livres et d'artisanat, bals jusqu'au petit matin et feux d'artifice. Par contre, la fête de la Vierge de l'Almudena, le 9 novembre, passe pratiquement inaperçue.

Dès le début du mois de décembre, la ville se prépare pour Noël. Elle dit au revoir à l'année le 31 décembre lorsque les douze coups de minuit sonnent à l'horloge de la Puerta del Sol. Le nouvel an sera reçu par la foule concentrée sur la place.

Tout au long de l'année, les divers quartiers célèbrent aussi leurs fêtes. Signalons celles de San Antonio de la Florida, le 13 juin; celles de la Vierge du Carmel, le 16 juillet et celles de San Cayetano, San Lorenzo et la Paloma, durant la première quinzaine du mois d'août.

Les courses de taureaux ont été, depuis le Moyen Age, la distraction favorite des Madrilènes. Au XVIIème siècle, tout prétexte était bon pour faire courir les taureaux sur la place Mayor. En 1754, le roi Ferdinand VI fit construire par les architectes Ventura Rodríguez et Francisco Moradillo une enceinte circulaire pouvant recevoir douze mille spectateurs. Au début du XXème siècle, cette enceinte était devenue trop petite. On

Détail de la Fête des « modistillas », le 13 juin : les femmes qui visitent l'ermitage de San Antonio de Floride introduisent leur main dans un tas d'épingles ; si une épingle les pique, la tradition dit qu'elles se marieront l'année suivante.

fit alors construire l'actuel édifice monumental de las Ventas, réalisé par José Espelius et Manuel Muñoz Monasterio, qui le dessinèrent en style mudéjar, caractéristique des arènes, avec les murs en briques et la décoration en céramique. Avec une capacité de 22 000 spectateurs, c'est la plus grande d'Espagne et c'est aussi la plus importante. Les grands personnages de la tauromachie doivent y passer leur examen, devant les aficionados exigeants et connaisseurs. Tous les ans, de 70 à 72 corridas s'y déroulent. La saison commence au mois d'avril mais c'est à l'occasion de la fête de saint Isidore que les arènes se remplissent tout au long de 26 corridas dont trois « novilladas » et deux de « rejón ». Après la fête, il y a des corridas tous les dimanches et à l'occasion de quelques fêtes importantes. La course de taureaux de la Beneficencia et celle de la Presse sont aussi très importantes. La saison s'achève avec les quatre ou cinq corridas de la foire d'automne.

Procession de l'Eucharistie.

Vue aérienne de la Place Monumentale des Ventes (Ventas).

Deux plats typiques de la gastronomie madrilène : « cocido » ou pot-au-feu et tripes.

GASTRONOMIE

Il y a une série de plats qui, bien que provenant d'autres régions, sont devenus ici ce que l'on peut appeler l'authentique cuisine madrilène. Le « cocido » (pot-au-feu) est le plat madrilène par antonomase; il est suivi par les tripes, les escargots et la soupe à l'ail (ici sans œuf). Dans les desserts, les «churros» et les « porras », les « rosquillas » (« tontas » ou « listas ») de San Isidro et, dernièrement, les nouveaux desserts caractéristiques des différentes fêtes madrilènes comme la « couronne de l'Almudena » ou la « tarte de la Communauté », créées par l'association des pâtissiers. Parmi les boissons, signalons les vins de San Martin de Valdeiglesias, Colmenar de Oreja et Arganda outre la très madrilène liqueur d'arbousier. Mais, outre les bons petits plats madrilènes, nous pouvons aussi déguster toutes les spécialités imaginables, aussi bien de cuisine régionale qu'internationale. Bien que cela semble paradoxal, Madrid possède un des principaux marchés de poisson du monde et, selon l'avis de beaucoup, c'est le meilleur endroit du pays pour manger du poisson. Tout dépendra de votre bourse et vous pourrez choisir entre plusieurs restaurants et gargotes, avec le menu du jour ou, de façon plus informelle, manger des brochettes et des «rations» dans de nombreuses auberges, brasseries, bars et tavernes répartis dans toute la ville.

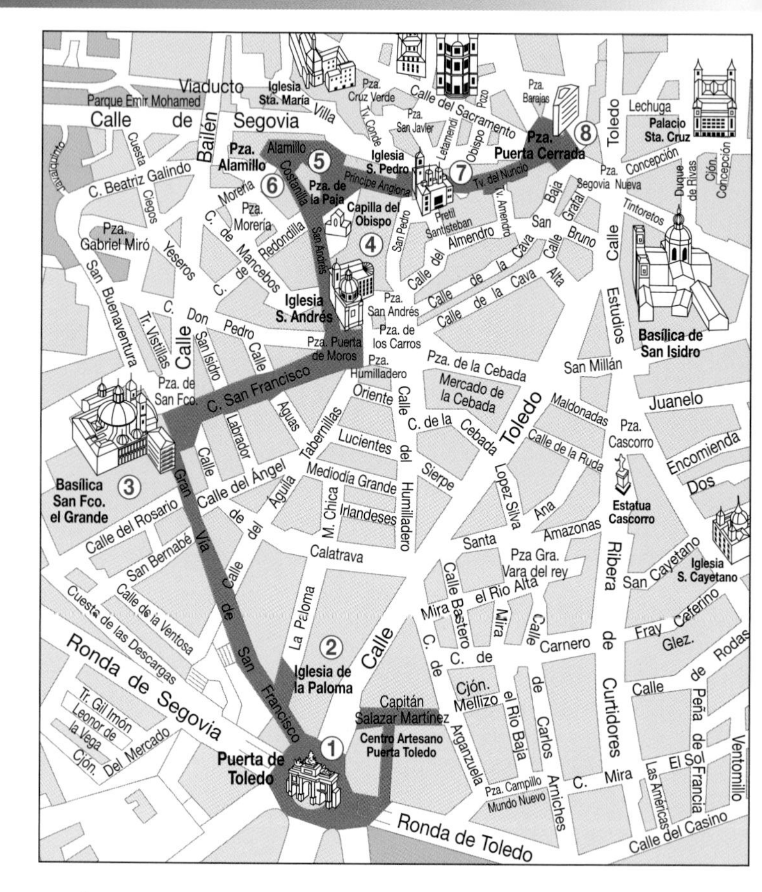

ITINÉRAIRE 1 (**) (AM)

Le premier itinéraire que nous vous proposons permet de parcourir les quartiers les plus anciens et ceux qui conservent le mieux cet aspect authentique, si typique de la ville. Leur tracé irrégulier, formé par d'étroits pâtés de maisons qui conservent un nombre relativement élevé de constructions datant de la seconde moitié du XIXème siècle mêlées à des constructions modernes, se voit parsemé de quelques bâtiments qui, en raison de leur valeur architectonique ou de leur assimilation aux traditions populaires, jouissent d'une grande notoriété auprès des madrilènes.

1.- Porte de Tolède (*). 2.- Église de la Paloma (*). 3.- Basilique de saint François le Grand (**). 4.- Chapelle de saint Isidore, église de saint André et chapelle de l'Évêque (**). 5.- Place de la Paja (*). 6.- Place de l'Alamillo (*). 7.- Église de saint-Pierre le Vieux (*). 8.- Place de Puerta Cerrada (*).

Commençons notre promenade au rond-point de la **Porte de Tolède (1)**. Cette zone fut urbanisée sous le règne de Charles III, mais les travaux de construction de la porte ne débutèrent qu'à l'époque de José Ier pour ne s'achever qu'en 1827, sous le règne de Ferdinand VII. Construite par Antonio López Aguado dans le style néoclassique, elle est formée de trois entrevous, le central étant plus haut dans l'arc et les deux latéraux étant de plein cintre. Les colonnes et les piliers adossés adoucissent la sobriété des lignes qui la caractérise, uniquement brisée par les groupes sculpturaux qui la couronnent, ceux-ci étant l'œuvre de Ramón Barba et de Valeriano Salvatierra, d'après les projets de José Ginés, et qui représentent une allégorie de l'Espagne protégeant les Sciences et les Lettres entourées d'armes et de drapeaux.

Dans la contre-allée, à l'angle de la Ronda de Tolède, nous trouvons le centre commercial dit **Mercado Puerta de Toledo** (Marché de la Porte de Tolède), situé dans ce qui fut l'ancien Marché central de poisson (construit en 1934 par Javier Ferrero) et aujourd'hui adapté à sa nouvelle fonction avec de nombreuses boutiques d'antiquités, de mode, de meubles, de design et de lieux de réunion.

Nous quittons cette place par la Gran Vía de San Francisco afin de nous

Porte de Tolède.

Une vue du centre commercial du Marché de la Porte de Tolède.

Église de la Paloma.

rendre, à travers les nouvelles constructions, à **l'église de la Paloma (2)**, située à l'endroit même où, par dévotion populaire, une petite église avait été construite à la fin du XVIIIème siècle, afin d'y vénérer la Vierge de la Solitude (représentée sur un tableau) que les madrilènes ont toujours appelé la « Virgen de la Paloma » (Vierge de la Colombe). La construction actuelle, inaugurée le 13 mars 1913, fut réalisée suivant les plans de Lorenzo Alvarez Capra, qui la conçut suivant un éclectisme dans lequel prédomine le style néo-mudéjar. Sa façade principale, flanquée de deux tours, est faite de briques formant de beaux dessins géométriques avec des décorations en pointe de diamant. Son style mudéjar est rompu par la présence de trois arcs gothiques en pierre qui s'ouvrent sur l'entrée. La décoration intérieure est adaptée pour le rituel du baptême par immersion. Les fonts baptismaux se trouvent au milieu de la nef centrale. On y arrive en descendant quelques marches. Le maître-autel est présidé par le tableau de la Vierge devant lequel la tradition voulait que les madrilènes viennent laver leurs enfants afin de les lui présenter et les placer sous la protection de la Paloma (dont les festivités ont lieu le 15 août). Les pompiers de Madrid ont le privilège de descendre le tableau de l'autel afin de pouvoir le sortir en procession dans les rues du quartier.

En suivant la Gran Vía de San Francisco, nous arriverons à la **basilique de saint François le Grand (3),** dont la fondation remonte au XIIIème siècle, lorsque saint François d'Assise lui-même choisit ce terrain afin d'y ériger un modeste couvent de moines, qui devint très vite un centre d'attraction et qui fit croître la ville dans cette direction. Lorsque le vieux couvent fut démoli, au XVIIIème siècle, l'église possédait quarante sépulcres de personnages illustres et vingt-cinq chapelles. La nouvelle construction suivit les canons néo-classiques de l'époque. Les travaux furent confiés à Francisco Cabezas, qui conçut l'église comme une construction circulaire recouverte par une imposante coupole de 33 mètres de diamètre. Mais ce fut Sabbatini qui acheva la construction en 1776, trouvant une solution pour les graves problèmes que posaient les dimensions de la coupole. Remarquons sa grande façade organisée en deux étages soutenus par des colonnes classiques sur lesquelles repose l'énorme coupole. À l'intérieur, nous pouvons contempler un tableau de Goya, « saint Bernardin » (réalisé dans sa jeunesse) et de nombreux chefs-d'œuvre.

Prenons maintenant la Carrera de San Francisco qui s'ouvre devant cette église. Elle nous conduira à la place des Carros donnant accès au **quartier de la Moreria**. Il s'agit de l'un des quartiers les plus anciens de Madrid, avec des places irrégulières, des ruelles tortueuses, pentues et tellement étroites qu'elles laissent tout juste passer le soleil et nous permettent d'imaginer quel pouvait être le tracé urbain de la ville au Moyen Age. Déambuler à travers ces rues dont les noms sont Granado, Redondilla, Mancebos, Alfonso VI ou les places de l'Alamillo, de la Morería, de la Paja, pleines

Basilique de saint François le Grand.

d'histoire et de légendes, c'est un peu se transporter à ce Madrid reconquis dans lequel la population musulmane se voit réduite à cette zone, donnant ainsi son nom au quartier.

Chapelle de saint Isidore.

Entre les places de la Paja et de San Andrés, on peut admirer l'un des ensembles architecturaux les plus curieux de la ville. Il est formé par l'**église de saint André**, la **Chapelle de l'Évêque** et la **Chapelle de saint Isidore (4).** La **Chapelle de saint Isidore**, annexe fut construite au milieu du XVIIIème siècle pour conserver les reliques de San Isidro, bien que son sépulcre fût transféré plus tard à la basilique dédiée au saint patron de Madrid dans la rue Toledo. L'intérieur, qui fut totalement détruit en 1936, était décoré de marbres et d'autres matériaux nobles. Le tout était éblouissant, comme on peut le constater à travers des documents. L'extérieur était formé d'un grand cube de briques sur des fondations de pierre avec des piliers du même matériel aux angles. Un bel entablement sépare le second corps formé par un tambour polygonal sur

Place de la Paja et église de saint André.

Retable Principal de la Chapelle de l'Évêque.

lequel repose la grande coupole recouverte d'ardoise.
L'**église de saint André** est reliée à cette chapelle. Son origine remonte au XIIème siècle et on raconte même que saint Isidore était un de ses fidèles puisqu'il vivait dans ce quartier. Reconstruite, avec son orientation modifiée, au XVIIème siècle, avec l'intérieur totalement remanié après 1939, nous pouvons difficilement imaginer l'importance qu'elle avait lorsqu'elle était, au XVème siècle, Chapelle royale des Rois Catholiques qui s'y rendaient depuis le palais des Lasso de Castilla qui se trouvait juste en face, à travers un corridor surélevé qui, évitant la rue en pente de San Pedro, conduisait à la tribune royale de l'église.
C'est également sur la place de San Andrés que se trouve le **Musée de saint Isidore**, installé dans la maison

Un coin de la Place de l'Alamillo.

Église de saint-Pierre le Vieux.

où l'on suppose qu'est mort le saint en 1172 et qui appartint à Iván de Vargas, pour qui travailla San Isidro en tant que journalier. Des vestiges archéologiques découverts dans cette zone sont également présentés et ce musée possède une petite chapelle décorée de fresques de Zacarías González Velázquez.

Nous trouverons ensuite, depuis la place de la Paja, la **chapelle de l'Evêque** qui fut construite au XVIème siècle en tant que chapelle de l'église de saint André, à laquelle elle était reliée. Son promoteur fut Francisco de Vargas, conseiller des Rois Catholiques mais c'est à son fils, Gutiérrez de Carvajal y Vargas, évêque de Plasencia, que l'on doit sa transformation en chapelle funéraire pour lui et ses parents. Il confia à Francisco Giralte la réalisation du magnifique retable du maître-autel qui, avec les trois sépulcres, est un véritable joyau de la sculpture renaissante castillane.

À l'extérieur, nous trouvons la **place de la Paja (5),** qui est aujourd'hui un endroit tranquille et invitant à se reposer à l'ombre de ses arbres. Mais c'était autrefois un centre de commerce et de réunion des plus importants du Madrid médiéval. Elle doit son nom au tribut en paille que devaient payer les muletiers aux chanoines de l'église de saint André et qui était ensuite vendue aux enchères sur cette place. À la fin du XVème siècle, la place connaît un renouveau avec la construction du palais des Lasso de Castilla (résidence occasionnelle des Rois Catholiques et du cardinal Cisneros), qui fut démoli durant la seconde moitié du XIXème siècle. Il fut remplacé par les maisons voisines que nous pouvons y voir aujourd'hui. Comme curiosité, nous pouvons citer le bâtiment qui se dresse au coin de la place, à l'intersection des rues Redondilla et Alfonso VI. Il s'agit du **collège**

de San Ildefonso, célèbre car ce sont ses élèves qui réalisent le tirage au sort de la Loterie Nationale.
La rue Alfonso VI nous conduira à la **place de l'Alamillo (6)** qui fut le centre de réunion du quartier de la Moreria, quartier dans lequel fut installée la population musulmane après la conquête de la ville par le roi Alphonse VI en 1085. Elle connut, d'après la légende, de nombreuses fêtes et courses de taureaux. C'est de là que vient le nom de la rue du Toro par laquelle nous quitterons cette place afin de nous diriger vers l'**église saint-Pierre le Vieux (7)** dont nous pourrons contempler la tour depuis la rue du Principe Anglona. On doit sa fondation, durant la première moitié du XIVème siècle, au roi Alphonse XI en action de grâce pour la conquête d'Algésiras. On ne conserve de la première construction, de style mudéjar, que la tour. Le reste de la construction a subi de nombreux remaniements postérieurs qui ont défiguré la création originale. Malgré tout, la tour est quand même l'un des plus beaux vestiges du Madrid médiéval.
Suivons maintenant la rue du Nuncio dans laquelle nous verrons un beau palais qui fut siège de la nonciature. Nous laisserons derrière nous la tranquillité des ruelles et nous entrerons dans le brouhaha de **Puerta Cerrada (8)**, zone toujours animée car c'est par cette porte que les marchandises des marchés entraient dans la ville. La peinture murale d'Alberto Corazón qui décore un des murs de cette place irrégulière nous le rappelle. Ce lieu reste encore aujourd'hui un lieu tout indiqué pour reprendre des forces en raison du grand nombre d'auberges et de restaurants qui se concentrent sur la place et les rues avoisinantes.

Place de Puerta Cerrada (Porte Fermée).

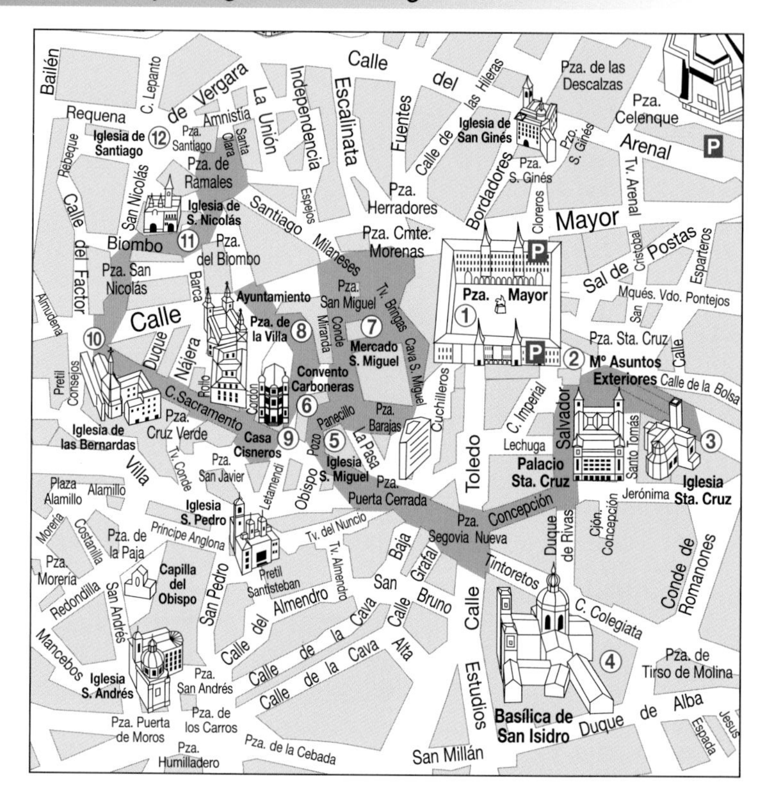

ITINÉRAIRE 2 (***) (TJ)

Cet itinéraire se trouve dans le Madrid des Habsbourg, centre névralgique de la Ville au XVIIème siècle et qui conserve de nombreux bâtiments construits à cette époque. Malgré les modifications que l'urbanisme de Madrid a subies au cours de l'histoire, on peut encore retrouver, dans ces places et ces rues, des recoins qui conservent le caractère de ce Madrid baroque, théâtral et contradictoire, où la sobriété des bâtiments les plus importants contraste avec les chroniques qui racontent les dissipations d'une Cour en décadence.

1.- Place Mayor (***). 2.- Ancienne Prison de Corte (**). 3.- Église de Santa Cruz (*). 4.- Basilique saint-Isidore (**). 5.- Église saint-Michel (**). 6.- Couvent de Carboneras (*). 7.- Marché de San Miguel (*). 8.- Place de la Villa (***). 9.- Maison de Cisneros (*). 10.- Église des Bernardines (*). 11.- Église saint Nicolas des Servites (*). 12.- Église de Santiago (*).

Vue aérienne de la Place Mayor.

Commençons par la **Place Mayor (1)**. Philippe III la fit construire. Il voulait une grande place qui donnât du prestige à son règne. Les travaux furent confiés à Juan Gomez de Mora qui la construisit sur l'ancienne place de l'Arrabal, marché important de la ville depuis le XVIème siècle. Les travaux commencèrent en 1617 et s'achevèrent deux ans plus tard. Le projet était absolument innovateur pour la ville par sa rationalité et son sens urbain. Il fut réalisé suivant les canons du style baroque madrilène qui sera le style caractéristique de l'époque des Habsbourg. Il respecta la **Casa de la Panadería** (Maison de la Boulangerie) au rez-de-chaussée de laquelle se trouvait la boulangerie de la Ville, construite par Diego Sillero en 1590, et qui abrite aujourd'hui le Registre de l'État Civil. Juste en face se trouvait la **Casa de la Carnicería** (Maison de la Boucherie) et, sous les arcades, de nombreux locaux d'artisans et de commerçants.

Détail de la Place Mayor avec le vieux bâtiment de l'ancienne Maison de la Boulangerie.

La place est formée de 136 maisons et de 437 balcons, depuis lesquels 50 000 personnes pouvaient contempler les festivités et les actes divers qui s'y déroulaient : tournois, courses de taureaux, proclamation de rois, mariages royaux, cérémonies religieuses, exécutions et fêtes populaires. La béatification et la canonisation de saint Isidore et d'autres saints populaires comme sainte Thérèse de Jésus, eurent lieu ici. Le caractère de la Place Mayor n'a pas changé au cours des ans. C'est encore le lieu de rencontre et de promenade des madrilènes. Au centre, nous pourrons contempler une **statue équestre de Philippe III**, promoteur de la place et premier roi de la dynastie autrichienne né à Madrid. Elle fut sculptée par Pietro Tacca, en 1616, bien qu'elle se trouvât initialement dans la Casa de Campo. Son transfert sur la place eut lieu en 1847, après les festivités du mariage d'Isabelle II, pendant lesquelles fut organisée la dernière corrida sur la place.

L'arc de la rue de Gerona nous conduira à la place de la Provincia où nous pourrons admirer le **palais de Santa**

Les dimanches matins, la Place Mayor est la scène d'un marché de timbres et de vieilles monnaies.

Les porches et rues voisines de la Place Mayor abritent de nombreux commerces.

Monument à Philippe III, sur la Place Mayor.

Cruz (2), ancienne Prison de Corte et siège du Ministère des Affaires Étrangères depuis 1850. Commencé en 1629 par Cristóbal de Aguileras, d'après les croquis de Gómez de Mora, il fut achevé en 1643 par José de Villarreal. Sa façade principale, exemple de l'architecture baroque madrilène, est encadrée par deux tours à chapiteau et réalisée en brique, ce qu contraste avec la pierre utilisée pour les impostes, les chaînes, les ouvertures

Palais de Santa Cruz.

Place Mayor : statue équestre de Philippe III et ancienne Maison de la Boulangerie.

des balcons et le portail central qui concentre la décoration. Il fut construit afin de remplacer l'ancienne prison dans laquelle fut emprisonné Lope de Vega et qui ne réunissait pas toutes les mesures de sécurité indispensables. À l'époque antérieure à cette vieille prison, la tradition obligeait à reclure les prisonniers dans des maisons particulières.

Dans le pâté de maisons qui vient ensuite, dans la rue d'Atocha, nous trouverons **l'église de Santa Cruz (3)**. C'est là que se dressaient autrefois l'église et le couvent de saint-Thomas, construits durant le XVIIème siècle et, d'après ce que l'on peut déduire des documents et des gravures, parmi les plus riches et monumentaux du baroque madrilène. Juste en face se trouvait l'ancienne église de Santa Cruz qui, devant être démolie durant le XIXème siècle, donna son nom et son invocation à celle de saint-Thomas. En 1876, cette dernière souffrit à son tour un terrible incendie qui eut pour conséquences sa démolition. Le terrain fut alors divisé: une partie fut occupée par des demeures et l'autre par cette nouvelle église qui fut inaugurée en 1902. Plusieurs styles s'y rejoignent, caractéristique de l'époque (et tactique déjà utilisée par son architecte, le marquis de Cubas). Signalons sa haute tour néo-mudéjar alors qu'à l'intérieur c'est le néo-gothique qui domine.

Nous nous dirigeons ensuite vers la rue de Tolède pour y visiter la **Basilique de saint-Isidore (4)**. Deux architectes jésuites, Francisco Bautista et Pedro Sanchez, furent les auteurs du tracé de la basilique, ancienne chapelle du Collège impérial. La grande façade, parcourue par d'énormes colonnes qui rappellent le style gigantesque de Michel Ange, ne peut être contemplée de face à cause de la largeur de la rue mais elle gagne en perspective vue de côté. Au centre, dans une niche, se trouvent les statues du patron de la ville, San Isidro, et de son épouse, Santa María de la Cabeza. La grille est couronnée par un aigle bicéphale, sym-

Rue d'Atocha et église de Santa Cruz.

Basilique de saint Isidore.

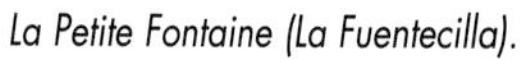

La Petite Fontaine (La Fuentecilla).

Église de saint Michel.

bole de la dynastie autrichienne fondatrice du Collège. A l'intérieur reposent, dans des urnes, sur le maître-autel, les restes du patron de la ville, saint Isidore et ceux de son épouse, sainte Marie de la Cabeza. Bien que la construction de l'église commençât en 1622, la décoration intérieure fut réalisée par Ventura Rodriguez au milieu du XVIIIème siècle. Le temple est spécialement chéri par les madrilènes car il servit de cathédrale jusqu'au jour où s'achevèrent les réparations de la Cathédrale d'Almuneda, en 1993.

Plus loin en descendant la rue de Tolède, nous trouvons, à notre gauche, une fontaine néoclassique qui porte le nom de **La Fuentecilla** (Petite Fontaine).

En partant de la Basilique de saint Isidore, nous continuons jusqu'à la place de Puerta Cerrada (Porte Fermée) et la rue du Sacramento. Au début de cette rue, l'**église de saint Michel (5)** occupe la place de l'ancienne église de saint Juste, qui fut détruite à la fin du XVIIème siècle et qui existait depuis le XIème siècle. La nouvelle église fut construite en 1739 sur commande du Cardinal Infante. Santiago Bonavía dessina le projet en style baroque avec d'importantes influences italiennes. Le petit espace disponible pour la construction l'obligea à trouver des solutions d'effet à l'intérieur afin de lui donner une plus grande ampleur et monumentalité: chapelles latérales tout juste insinuées, piliers obliques et grande hauteur des toitures. Sa décoration annonçait déjà le rococo avec une multitude de stucs dorés ou d'imitations de marbres sur les autels latéraux et les tribunes du presbytère qui encadrent le maître-autel, présidé par un tableau de Ferrant représentant la lutte entre saint Michel et les anges déchus. Les toitures furent décorées par Bartolomé Rusca et les frères González Velázquez. A l'extérieur, l'originale façade concave voit

Porte du Couvent des Charbonnières.

accentuée sa verticalité par l'étroitesse de la rue.

La rue de Puñonrostro nous conduira à la place du Conde de Miranda où se trouve le couvent de Corpus Christie populairement connu sous le nom de **«las Carboneras» (6)** à cause d'une statue de l'Immaculée qui fut trouvée dans une charbonnerie et vénérée dans ce couvent. La petite église, de Miguel de Soria, achevée en 1625, ne se signale à l'extérieur que par la décoration de la façade sur la quelle un relief d'auteur inconnu mais disciple des Leoni représente saint Jérô-

Rue du Maestro Villa et Arc des Couteliers, qui communique avec la Place Mayor.

Marché de saint Michel.

me et sainte Paule adorant l'Eucharistie. Parmi les divers chefs-d'œuvre qu'elle conserve en son intérieur, signalons sur le retable du maître-autel « La Cène », de Vicente Carducho.

De là, en prenant la rue de la Pasa dans laquelle se trouvait le vicariat ecclésiastique où il fallait faire les démarches administratives préalables au mariage – origine de l'expression « Celui qui ne passe pas par la rue de la Pasa ne se marie pas », nous arriverons à la place du Conde de Barajas qui, avec ses arbres, ses bancs et son kiosque à terrasse ouvert en été est l'une des plus agréables du quartier. Nous suivrons ensuite la rue du Maestro Villa afin de pouvoir contempler un des recoins les plus célèbres de Madrid, l'**Arc de Cuchilleros**, porte d'entrée à la Plaza Mayor. En longeant la place par la rue Cava de San Miguel, nous arriverons à la place et **marché de San Miguel (7)**. Le marché de San Miguel fut construit au début du XXème siècle par Alfonso Dubé et c'est un des plus beaux de la ville avec ses colonnes en fer qui furent postérieurement protégées par de grosses vitres afin d'améliorer les conditions de l'intérieur. Il doit son nom

Place de la Villa : façade principale de la Mairie.

Place de la Villa : Tour et Maison des Lujanes.

à l'ancienne église saint-Michel des Octoes qui occupa ces terrains jusqu'en 1809, année durant laquelle il fut démoli. Le marché public non couvert qui s'installa alors en cet endroit était le prédécesseur de l'actuel.

Le lieu suivant de l'itinéraire est la **place de la Villa (8)** qui a une grande tradition à Madrid car elle a accueilli le gouvernement de la ville depuis des temps immémoriaux. Les citadins se réunissaient à l'église saint-Sauveur. Au XIVème siècle ils créèrent une organisation municipale à la demande d'Alphonse XI. C'est ainsi que naquit la **Mairie de Madrid**. Après la démolition de l'église où ils se retrouvaient, on construisit un bâtiment qui devint la Maison de la Ville. Les travaux se réalisèrent sur des terrains proches à la place. Ils commencèrent en 1640 suivant les plans dessinés par Juan Gómez de Mora, dans le style baroque typique madrilène. Il fait depuis les fonctions d'Hôtel de ville. La construction n'a subi que quelques modifications, mis à part le balcon qui donne sur la Calle Mayor, oeuvre de Juan de Villanueva, construit en 1787 afin que la reine et ses dames d'honneur puissent contempler la procession de la Fête Dieu. Elle abrite de nombreuses œuvres d'art, réparties dans différentes salles qui peuvent être visitées.

La **tour des Lujanes**, située devant l'Hôtel de ville, est l'une des quelques constructions de la fin du XVème siècle que conserve Madrid. La maison et la tour, mudéjars, conservent encore l'entrée d'origine avec un arc en fer à cheval marqué et dans laquelle sont exposées les blasons des Lujanes. Sur la place s'ouvre une autre porte gothique-mudéjar, fruit de l'agrandissement de la maison au début du XVIème siècle. Ce bâtiment était destiné à servir de dépendance municipale. On y garde les sépultures plateresques de Beatriz Galindo et de son époux, Francisco Gutiérrez, tout comme l'escalier gothique de l'hôpital de La Latina, aujourd'hui disparu.

Au fond de la place se trouve la **Maison de Cisneros (9),** qui fut construite en 1537 à la demande de Benito Jiménez de Cisneros, neveu du cardinal Cisneros, et de style plateresque. Elle fait aujourd'hui partie de la Mairie et est reliée à cette dernière par une passage élevé sur la rue de Madrid. L'intérieur du palais, où est gardée une magnifique collection de tapisseries et avec ses jardins paisibles, fut totalement rénové par Luis Bellido entre 1910 y 1915. L'ancienne porte principale, qui s'ouvre sur la place de Cordon, s'est gardée pratiquement intacte.

La statue située au centre de la place représente Alvaro de Bazán, figure admirable de l'« Armée Invincible » de Philippe II, œuvre de Mariano Benlliure, de 1888.

On accède à la rue du Sacrement par la rue du Cordon, au bout de laquelle se trouve l'**église du saint Sacrement (10)**, unique vestige du couvent des bernardines, qui fut fondé par le duc d'Uceda à côté de son palais de la Rue Mayor. La construction de l'église commença en 1671 sous la direction de Bartolomé Hurtado. Elle conserve dans son architecture les caractéristiques typiques du baroque madrilène : une nef avec chapelles latérales dans des niches, transept tout juste en ogive, coupole et chœur au chevet de l'église. On retrouve sur la façade le modèle carmélite imposé au Madrid du XVIIème siècle, avec des divisions en trois corps et trois rues, au centre un relief représentant saint Bernard et saint Benoît, patrons de l'Ordre.

Presque en face, dans la **rue Mayor**, nous pourrons admirer la façade du **palais d'Abrantes**, siège actuel de l'Institut Italien de culture et, un peu plus bas, le **palais** reconstruit **d'Uceda**, construit en 1613 par Alonso Turillo, favori du roi Philippe III.

Maison de Cisneros.

Église du saint Sacrement.

Une vue de la Rue Mayor, dans laquelle subsistent d'anciens commerces.

Église de Santiago.

Traversons la rue Mayor et prenons la rue du Biombo qui nous mènera à l'**église saint-Nicolas des Servites (11)**, la plus ancienne de Madrid. Elle existait déjà au XIIème siècle, à l'intérieur des murailles. Au cours de l'histoire, elle a subi de nombreuses modifications et reconstructions, qui ont totalement modifié sa forme originelle. On peut, malgré tout, y étudier l'évolution de l'architecture madrilène au cours des siècles, de la partie inférieure de la tour et les lambris mudéjars aux chapiteaux, chapelles et portail baroques ainsi que les nervures gothiques du chevet ou les plâtres plateresco-mudéjar du presbytère.

La place voisine, la place Ramales, étais jadis le siège de l'église de saint Jean, où fut enterré Velázquez. Au centre de cette place se dresse un monument en son hommage. Nous passerons de là à la placette contiguë de Santiago sur laquelle se dresse l'**église de Santiago (12)**, sur les terrains correspondants à une église antérieure de même nom. L'architecte Juan Antonio Cuervo construisit en 1811 l'actuelle église néo-classique, en croix grecque, avec une grande coupole sur le transept. À l'intérieur, nous verrons d'intéressants chefs-d'œuvre, tels que la toile de « Santiago Matamoros », de Francisco de Ricci, qui préside le maître-autel.

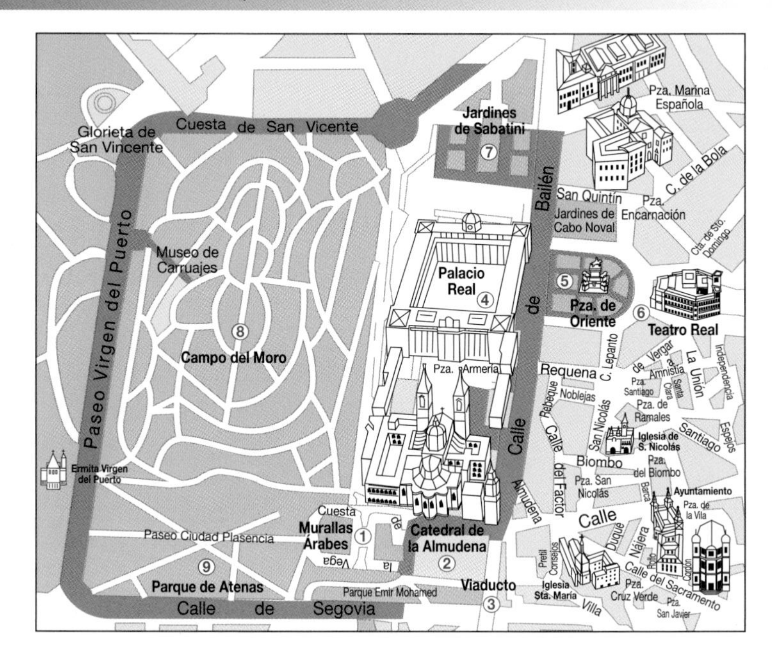

ITINÉRAIRE 3 (***) (M)

La zone que couvre ce troisième itinéraire présente, outre la beauté de ses parcs et la richesse artistique du Palais Royal, un autre aspect important car c'est le centre originel de l'histoire de la Ville et la Cour. Ce promontoire, depuis lequel on domine le lit du Manzanares, fut celui que choisit Mohammed I durant la seconde moitié du IXème siècle afin d'y construire sa casbah ou « almudaina » autour de laquelle se regroupa le hameau. La casbah musulmane devint, au cours du temps, le château des rois chrétiens et ensuite Palais Royal tandis que la ville grandissait et s'étalait.

1.- Murailles arabes (*). 2.- Cathédrale de l'Almudena (*). 3.- Viaduc (*). 4.- Palais Royal (***). 5.- Place d'Orient (**). 6.- Théâtre Royal (**). 7.- Jardins de Sabbatini (*). 8.- Campo del Moro (*). 9.- Parc d'Atenas (*).

Commençons cet itinéraire à l'angle de rues de Bailén et Mayor que nous descendrons jusqu'à la Cuesta de la Vega dans laquelle nous pourrons voir les vestiges des **murailles arabes (1)**. On n'a encore mis à jour que peu de vestiges de cette muraille du XIIème siècle car, avec la croissance de la ville, elle a été cachée par les maisons qui s'y sont installées dessus et qui ont utilisé ses pierres pour leur construction. On connaît malgré tout son tracé et sa construction grâce à des documents qui ont été confirmés postérieurement par des fouilles archéologiques réalisées au cours de la démolition des maisons qui la recouvraient. Nous pouvons ainsi savoir qu'elle était faite de pierres de taille et de mortier avec des pans de douze pieds d'épaisseur entre des tours, avec des portes fortifiées dont il ne reste que le souvenir dans la toponymie des emplacements qu'elles occupaient. En 1953 tout le périmètre de la muraille fut déclaré monument national bien qu'il soit pratiquement impossible de la conserver car la zone dans laquelle elle se trouve a une forte densité de population.

À côté de ces vestiges se dresse la **Cathédrale de la Almudena (2)**, commencée au début du XIXème sur ordre du marquis de Cubas, mais dont seule la crypte néo-romane put être construite en 1880. La cathédrale est une œuvre d'inspiration médiévale de style gothique dont la verticalité contraste avec l'horizontalité et le classicisme

Restes de la muraille arabe.

Façade principale de la cathédrale de l'Almudena.

Vue aérienne de la Cathédrale de l'Almudena et du Palais Royal.

du Palais Royal qui se trouve à ses côtés, continuation des projets originaux du XVIIIème siècle. La façade principale, avec deux tours symétriques, fut achevée en 1960 avec de grandes modifications par rapport au projet du marquis de Cubas. La Cathédrale, cependant, n'a pas été achevée avant 1993, année où elle fut sacrée par le pape Jean-Paul II ; jusqu'à cette date, la basilique de San Isidro fit office de Cathédrale. Elle est dédiée à la Vierge de l'Almudena, patronne de la ville, vénération dont l'origine remonte aux temps anciens. La tradition veut que, durant l'occupation musulmane, les habitants chrétiens de la ville cachèrent la statue de la Vierge dans un pan de muraille (en arabe almudaina), ou dans un magasin de blé (almudit) qui se trouvait dans les parages. Elle fut miraculeusement découverte lorsqu'Alphonse VI reconquit la ville le 9 novembre 1085. Depuis lors la statue de la Vierge Marie reçut le nom d'Almudena, nom populaire à Madrid que

reçoivent de nombreuses petites filles à leur naissance.

Dans la rue Bailén nous trouverons le **Viaduc (3)** qui passe sur la rue de Segovia et relie la zone du Palais avec Las Vistillas, projet qui avait été conçu lors de la construction du Palais Royal mais qui ne fut réalisé qu'à la fin du XIXème siècle et construit en fer. Le viaduc actuel est dû à l'architecte Francisco Javier Ferrero et aux ingénieurs Juan José Aracil et Luis Aldaz. Il a été construit en béton armé et inauguré en 1942.

Le Viaduc.

On peut y admirer une belle vue qui va jusqu'à la sierra de Guadarrama.

On accède au **Palais Royal (4)** par la rue Bailén et par la grand place de

Le Palais Royal.

l'Armeria. L'ancien Alcazar, un bâtiment froid et hostile construit par les arabes au IXème siècle et agrandi par les Habsbourg, fut totalement détruit par un incendie le jour de Noël 1734, un des incendies les plus rapides et effroyables dont se souviennent les chroniques. Les flammes détruisirent une riche collection de tableaux et d'objets d'art mais l'incendie donna aussi aux Bourbon la possibilité de construire un nouveau palais beaucoup plus adapté à la vie officielle du Royaume et aux fonctions de résidence royale, suivant ainsi l'exemple des cours européennes. Philippe V fit venir d'Italie Filippo Juvara, qui lui proposa un énorme édifice à la façon de celui de Versailles et suivant le style du projet que Bernini réalisa pour le palais du Louvre mais situé hors ville à cause de ses gigantesques dimensions. Juvara mourut peu après avoir réalisé le projet et le roi fit alors venir Giovanni Battista Sachetti, disciple de l'antérieur, pour lui faire diriger les travaux de construction du palais avec l'obligation d'utiliser les terrains qu'avait autrefois occupé l'ancien Alcazar des Habsbourg.

Sachetti se mit à l'œuvre avec l'intention de faire gagner en hauteur ce que le palais perdait en extension. Il garantissait aussi, avec la pierre comme unique matériau de construction, une protection contre les incendies. La première pierre fut posée en 1738 et il paraît que les tranchées des fondations atteignirent la même profondeur que le Manzanares (qui coule au pied du talus). Les travaux durèrent jusqu'en 1764 et comptèrent avec les services des architectes Sabbatini et Ventura Rodríguez. Charles III fut le premier roi qui habita le palais.

La construction est de style baroque classiciste avec un mélange d'influences française et italienne dans les éléments de construction et de décoration. Un quadrilatère aux façades presque toutes pareilles forme l'édifice. La succession de piliers et de colonnes adossées et la combinaison de granit et de pierre blanche sont, peut-être, les éléments de composition les plus remarquables. La solide base en pierres de taille saillantes qui forme le rez-de-chaussée souligne l'élégance classique de l'étage noble, défini par les supports adossés et le dessin soigné des fenêtres qui se trouvent entre les colonnes. Une balustrade couronne le tout.

On y réalise actuellement des actes de protocole. Une partie de ses dépendances a été transformée en musée, un musée qu'il faut absolument visiter car il s'agit d'un des palais les mieux meublés d'Europe qui conserve son mobilier d'origine. Signalons les salles décorées par Gasparini (qui furent les appartements privés de Charles III) et le salon du trône et la salle à manger de réception. Les chefs-d'œuvre y sont innombrables: plafonds décorés de fresques de Corrado Giaquinto, Tiépolo et Mengs et des toiles de Goya, Wateau, Van der Weyden, Bosch, Velázquez et Caravaggio parmi tant d'autres. Le déroulement de la vie protocolaire et sociale des rois rendait indispensable une série d'objets somptuaires qui forment aujourd'hui les collections (enrichies par les divers règnes et d'une valeur incalculable aussi bien du point de vue artistique qu'historique et documentaire) qui figurent parmi les meilleures dans leur genre: tapisseries, porcelaines, orfèvrerie, capes royales, vêtements du culte, horloges, meubles, lustres, bronzes, tapis, etc.

Place de l'Orient et le Palais Royal.

On peut aussi visiter d'autres musées dans l'ensemble du palais. Il s'agit de musées monographiques qui exposent des collections extraordinaires: le **musée de la Musique**, avec les quintette de Stradivarius; la **Bibliothèque Royale**, avec plus de 300 000 volumes et incunables ; la **Pharmacie Royale**, avec un laboratoire d'alchimie du XVIIème siècle, des instruments médicaux et

Palais Royal : Salle du Trône et Pharmacie Royale (Copyright © Patrimoine National).

Palais Royal : L'Armurerie Royale (L'Arsenal Royal) (Copyright © Patrimoine National).

de pharmacie; l'**Armurerie Royale**, avec une collection fondée par Philippe II afin de réunir et conserver les armes de son père et les siennes et qui est considérée la meilleure du monde en son genre; le **musée des Carrosses**, avec des véhicules utilisés par les rois entre les XVIème et XXème siècles, ainsi que les uniformes des domestiques, des selles et des harnais. Ce dernier musée se trouve dans les jardins du Palais Royal, appelés *El Campo del Moro*.

La visite achevée, nous sortirons sur la **Place d'Orient (5)**. Elle doit son nom à son emplacement, juste à côté de la façade orientale du Palais Royal, et son origine à l'initiative de Joseph Bonaparte qui voulait créer un espace urbain qui ouvre une perspective sur la magnifique construction du palais ; précisément dû à son intérêt constant à créer de nouvelles places et, général, à mettre diverses réformes urbaines en œuvre, et ce, dans le but de décongestionner le bigarre et vieux quartier. Joseph Bonaparte reçut le surnom affectueux de

Palais Royal : Salle des Porcelaines (Copyright © Patrimoine National).

Statue équestre de Philippe IV, sur la Place de l'Orient.

Statues des monarques espagnols à la Place de l'Orient.

« Rey Plazuelas » (Roi Placettes). L'urbanisation définitive de la place se réalisa durant le règne d'Isabelle II. Elle doit son tracé actuel aux projets d'Agustin Argüelles et Martin de los Heros. En 1843 on installa au centre de la place la statue de Philippe IV, merveilleuse sculpture du XVIIème siècle à laquelle participèrent plusieurs artistes : Pietro Tacca sculpta le bronze d'après la maquette réalisée par Martinez Montañés. Le dessin de la tête est une copie du portrait équestre de Philippe IV que fit Velázquez et Galilée Galilei calcula le centre de gravité de la statue. On installa ensuite les statues des rois qui encadrent les jardins et qui avaient été réalisées pour décorer la balustrade du Palais Royal. Nous y retrouverons tous les rois de la monarchie espagnole, des wisigoths à Ferdinand VI.

Les demeures qui entourent la place furent construites tout au long du XIXème siècle. Nous remarquerons le **Théâtre Royal (6)**. Autrefois, ces terrains étaient occupés par les fontaines et les lavoirs publics du faubourg, connus aussi sous le nom de Caños del Peral. En 1704, des comédiens ambulants s'y installèrent. Ils furent à l'origine du théâtre qui fonctionna jusqu'au début du XIXème siècle. En 1818, son état ruineux en recommanda la démolition. On commença alors la construction de l'Opéra, d'après les plans d'Antonio López Aguado. Les travaux furent paralysés plusieurs fois jusqu'à ce qu'Isabelle II donne l'ordre de les achever, en 1850. Le théâtre fut inauguré le 19 novembre avec l'opéra « la Favorite », de Donizetti. Il devint alors un lieu de rendez-vous qui disposait de toute sorte de services pour couvrir les besoins de l'intense vie sociale de l'époque: deux couturières pour les dernières retouches, une fleuriste-

Façade principale du Théâtre Royal et statue équestre de Philippe IV.

Intérieur du Théâtre Royal (Image : Javier del Real/Théâtre Royal).

rie, un café, une confiserie et d'autres dépendances similaires. Au début du XXème siècle, cependant, il dut être fermé suite à une fuite d'eau souterraine qui causa d'importants dommages et menaça de tout faire écrouler. En 1965, il ouvrit à nouveau comme salle de concerts et conservatoire de musique et enfin en 1997, après dix années intenses de travaux de restauration, il fut à nouveau inauguré, cette fois comme opéra. Il possède de magnifiques salons et sa scène, équipée des dernières innovations technologiques, est l'une des plus grandes et des mieux préparées du monde.

Au nord du Palais Royal se trouvent les **Jardins de Sabbatini (7)**, réalisés durant la IIème République, d'après un projet de Mercadal, sur les terrains qu'occupaient les écuries royales que Sabbatini avait construites au XVIIIème siècle. C'est actuellement un petit parc de 2,5 ha qui s'étend jusqu'à la Cuesta de San Vicente et dans lequel on retrouve surtout des haies formant des figures géométriques.

Descendons maintenant la Cuesta de San Vicente jusqu'à la promenade de la Virgen del Puerto où s'ouvre la porte del **Campo del Moro (8)**. La légende raconte qu'il y avait autrefois ici un campement musulman pour préparer le siège et la conquête de Madrid, d'où son nom. Étroitement lié depuis le Moyen Age à la monarchie, ce fut un lieu de chasse jusqu'à ce que la construction du Palais Royal impliqua aussi la réalisation d'un jardin pour la résidence royale. Durant la dernière décennie du XIXème siècle, le jardin fut restauré sous la direction de Ramon Oliva qui lui donna son aspect actuel. Il le transforma en jardin de paysagistes avec une végétation luxuriante. Il fut déclaré jardin historique et artistique en 1931 et ouvert au public en 1978.

Au sud de ce jardin se trouve le **Parc d'Atenas (9)** traditionnellement connu sous le nom de « Campo de la Tela ». Terrain de joutes et de tournois médié-

Détail des Jardins de Sabbatini.

vaux qui devinrent, au XVIIème siècle, de simples exercices d'équitation et d'escrime, il disparut au XVIIIème siècle pour se transformer en potager. C'est à partir du XIXème siècle que la Mairie se propose d'en faire un parc public jardiné en imitant le remaniement effectué au Campo del Moro.

Jardins du Campo del Moro et façade occidentale du Palais Royal.

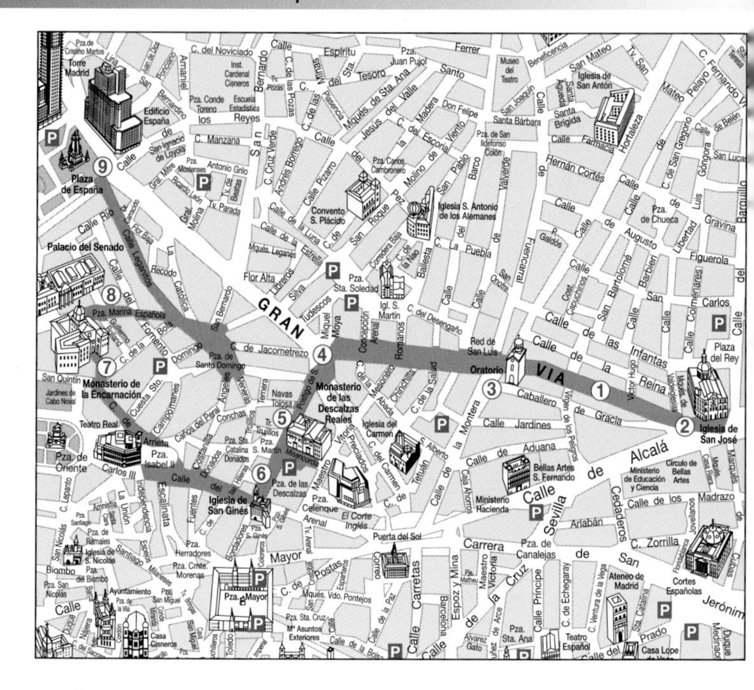

ITINÉRAIRE 4 (***) (TJ)

Nous vous proposons, avec ce quatrième itinéraire, de visiter une partie de Madrid dans laquelle nous trouverons deux zones nettement différenciées : du brouhaha d'une avenue cosmopolite avec une grande concentration de magasins, cafétérias et surtout, salles de cinéma qui attirent un public nombreux nous passerons à de petites rues et places chargées d'histoire et dans lesquelles on peut encore trouver des recoins tranquilles et même silencieux.

1.- Gran Via (**). 2.- Église saint Joseph (*). 3.- Oratoire du Caballero de Gracia (*). 4.- Place du Callao (*). 5.- Monastère des Déchaussées (***). 6.- Église saint Ginés (*). 7.- Monastère de l'Incarnation (***). 8.- Sénat (*). 9.- Place d'España (*).

Notre parcours commence à l'angle de la rue d'Alcalá avec la **Gran Via (1)**. Cette dernière naquit au début du XXème siècle pour ouvrir un axe qui mette en communication directe la zone de Cibeles et le nouveau quartier d'Argüelles, à l'ouest de la ville. Il fallut ouvrir une brèche dans le conglomérat de maisons qui, aujourd'hui encore, caractérise les quartiers du centre de Madrid. Les expropriations et les démolitions nécessaires ralentirent sa construction de 1862, date de première

présentation du projet, à 1910, date de début des travaux qui se réalisent suivant les dessins de López Salaberry et Octavio Palacios. Son tracé brisé et la longueur des travaux font que cette avenue présente trois tronçons différenciés tout en perdant ainsi cette uniformité prétendue au début du projet.
Le premier édifice important du parcours est l'**église saint-Joseph (2)**, dessinée en 1730 par Pedro de Ribera pour le couvent des carmélites déchaussés et dont il ne reste aujourd'hui que l'église. La façade présente les caractéristiques constantes de l'œuvre de cet artiste: pans de briques encadrés par des chaînes en pierre, des petites fenêtres ovales et, surtout, l'axe vertical très marqué qui, sortant du portique, monte vers le fronton qui couronne la construction.

Perspective de la Gran Vía sur sa première travée : en gros plan, à l'intersection de la rue d'Alcalá, le bâtiment Metrópolis (1906), et au fond, la silhouette du bâtiment de la Compagnie Telefónica (1929).

Église de saint Joseph.

Oratoire du Chevalier de Gracia.

Nous prendrons ensuite le premier tronçon de la Gran Vía, entre Alcalá et la Red de San Luis. C'est le tronçon qui est le plus homogène dans ses bâtiments qui furent construits entre 1914 et 1917 et il se caractérise par l'éclectisme qui les uniformise bien qu'ils soient tous différents.

C'est ici aussi que nous trouverons le chevet de l'**oratoire du Caballero de Gracia (3)** dont l'entrée se trouve dans la rue de même nom. Nous pourrons y admirer la plus pure architecture néo-classique tracée durant la dernière décennie du XVIIIème siècle par Juan de Villanueva qui y retransmit les idées de l'architecture de Palladio qu'il avait connu au cours de son voyage en Italie: utilisation, à l'intérieur, de grandes colonnes sur lesquelles repose un sobre entablement qui à son tour supporte les voûtes décorées de caissons. La coupole du petit transept est ornée de peintures de Zacarias González Velázquez.

Revenons sur la Gran Vía et parcourons maintenant le second tronçon, entre la Red de San Luis et la place du Callao, qui devait être un boulevard mais dont le projet fut supprimé lors de la réalisation des travaux. L'uniformité antérieure disparaît ici. Des immeubles à caractère éclectique voisinent avec des constructions d'un fonctionnalisme américain naissant. L'immeuble le plus relevant de ce tronçon est celui qui fut construit par Ignacio Cardenas avec la collaboration de l'américain Weeks pour **Telefónica**. Achevé en 1929, ce fut le premier « gratte-ciel » de Madrid. Sa hauteur, 81 mètres, ne fut autorisée que parce que l'édifice était déclaré d'utilité publique.

Ce tronçon s'achève sur la populaire **place du Callao (4)** qui, entourée de salles de cinéma et de grands magasins, est l'une des plus fréquentées de la ville. Nous y remarquerons deux édifices: le **palais de la Presse**, projeté par Pedro Muguruza en 1924, avec une façade, de profonde influence américaine, dominée par un grand arc qui englobe tous les autres éléments; et l'**édifice**

Travée de la Gran Vía entre la Red de San Luis et la place du Callao.

Place du Callao.

Carrión, plus connu sous le nom de Capitol, commencé en 1931 d'après les plans de Luis Martínez Feduchi et Vicente Eced et qui comprend des appartements, un hôtel, des bureaux, une cafétéria, un salle de cinéma et une salle de bal.

Nous abandonnerons la Gran Vía par le Postigo de San Martín et nous irons visiter le **monastère des Déchaussées royales (5)**. Fondé par la princesse Jeanne d'Autriche, fille de l'em-

Monastère des Déchaussées Royales.

Escalier principal du monastère des Déchaussées Royales.

pereur Charles Quint, il occupe un ancien palais qui appartenait à Alonso Gutiérrez, trésorier de l'empereur. Lorsque l'Alcazar devint résidence officielle de Philippe II, ce palais fut mis à la disposition de sa mère, l'impératrice Élisabeth, et c'est là que naquit la fondatrice, durant l'été 1535, « dans les chambres fraîches qui donnent sur le grand verger ». Les travaux d'aménagement du palais en couvent furent dirigés par Antonio Sillero et Juan Bautista de Toledo (auteur des premiers plans de l'Escorial) entre 1556 et 1564. Juan Gómez de Mora y intervint au XVIIème siècle. La façade de l'église est une belle composition austère de

Église de saint Ginés.

style Escurial avec, sur l'entrée, les armes de la fondatrice.

Durant de nombreux siècles des dames de sang royal et de l'aristocratie y furent professes ou furent ses hôtes ce qui explique l'accumulation de chefs-d'œuvre. À en juger par la splendide collection d'art sacré, de portraits et de tapisseries que possède le musée actuel (ouvert au public depuis 1960 et qui avait été protégé jusqu'alors par l'ordre cloîtré), la vie de ces femmes devait être surtout tournée vers la contemplation esthétique. Parmi les nombreux chefs-d'œuvre des XVème au XVIIème siècles, nous pouvons signaler la remarquable décoration des escaliers, avec des effets de perspective, attribué à Claudio Coello et Ximénez Donoso ; des tableaux de peintres de la qualité de Bruegel « l'Ancien », Pantoja de la Cruz, Zurbaran, Titien et Sánchez Coello; et un salon de tapisseries basées sur des cartons de Rubens. Le musée possède, en outre, d'importantes œuvres d'imagiers comme Pedro de Mena ou Gregorio Hernández et un ensemble d'ornements liturgiques extraordinaire.

Après cette visite, nous irons par la rue de San Martín à celle de l'Arenal dans laquelle nous trouverons l'**église saint Ginés (6)** qui existait déjà au XIème siècle, autour de laquelle se regroupait le faubourg de San Ginés, hors de la muraille. C'est cependant un écrit de 1354 qui parle d'un vol sacrilège, ainsi que nous le rappelle une plaque à l'entrée de l'église, qui en est le premier témoignage écrit. En 1645, le mauvais état des lieux oblige à sa reconstruction totale qui fut réalisée suivant les dessins de l'architecte Juan Ruiz qui profita d'une partie des murs primitifs. Mais des incendies successifs au cours des XVIIIème et XIXème siècles motivèrent de continuelles restaurations qui modifièrent en partie le projet du XVIIème siècle. Seule la chapelle du Christ se sauva. Elle a aujourd'hui une entrée directe et indépendante depuis l'extérieur. C'est en 1870 que José María de Aguilar réalisa une nouvelle restauration qui lui donna son aspect actuel. Remarquons le petit parvis et l'atrium de l'entrée depuis la rue de l'Arenal et, surtout, la svelte tour avec son chapiteau pointu. À l'intérieur, de beaux chefs-d'œuvre, surtout dans la chapelle contiguë du Christ, nous attendent.

La rue de l'Arenal nous conduira à la **place d'Isabel II**, plus connue sous le nom de l'« Opéra » qu'elle doit au Théâtre Royal (voir itinéraire 3).

Nous irons ensuite, en suivant la rue d'Arrieta, au **monastère de l'Incarnation (7)**, institué par Marguerite

Monastère de l'Incarnation.

d'Autriche, épouse de Philippe III. Les travaux de construction durèrent cinq ans et ils furent bénis en 1616 au cours de fêtes solennelles. Juan Gómez de Mora prit les travaux en charge et, à cause de son jeune âge, il suivit les idées de base de son oncle et maître Francisco de Mora, architecte de San José de Avila. La façade de l'église, construite en pierre de taille et en brique, d'une harmonie parfaite, devint le modèle des carmélites et se reproduisit durant des décennies un peu partout avec de très petites variations. L'église subit un incendie durant le XVIIIème siècle et Ventura Rodríguez fut chargé d'en restaurer l'intérieur avec un grand luxe de jaspes, de marbres et de bronzes, suivant l'esthétique de l'époque des Bourbon. C'est un endroit populaire à Madrid car il conserve le sang de saint Pantaléon qui se liquéfie tous les

Monastère de l'Incarnation : Relique dans lequel est conservé le sang de saint Pantaleón.

Palais du Sénat.

27 juillet. Outre cette relique, le musée en possède d'autres ainsi qu'une excellente collection de tableaux, de sculptures et d'images, un bel ensemble d'objets liturgiques et autres, rassemblés au long des temps et qui étaient apportés en dot par les femmes de la noblesse qui y étaient professes. On en doit aussi une partie aux donations que firent d'illustres hôtes.

Après avoir visité cet intéressant musée, parcourons la rue de l'Incarnation dans laquelle nous contemplerons la façade latérale du couvent et dirigeons-nous vers la place de la Marina Española où se dresse le **palais du Sénat (8)** qui s'est installé, après les remaniements nécessaires, dans l'édifice de l'ancien couvent des augustins déchaussés. L'immeuble fut reconstruit au XIXème siècle et en 1814 on y installa la salle de séances des Cartes générales du Royaume. C'est dans cette salle que Ferdinand VII jura la Constitution six ans plus tard. L'intérieur est décoré par une bonne collection de tableaux de thèmes historiques, tellement appréciés au XIXème siècle. Le monument situé à l'entrée nous parle de Cánovas del Castillo, politique du XIXème siècle.

En remontant la côte de la rue de Torija nous arriverons à la place de Santo Domingo qui aujourd'hui, avec son parking souterrain construit à la fin des années cinquante et entourée d'immeubles actuels, ne ressemble en rien à cette place du faubourg médiéval madrilène sur laquelle se trouvait, jusqu'en 1869, le couvent de Santo Domingo el Real. De là nous nous rendrons, à travers la rue de Leganitos (ancien torrent qui arrosait cette zone de potagers maures et qui au XVIIème siècle a déjà ce même nom et est totalement urbanisée), à la **place d'España (9)** dont la grande esplanade remplit les fonctions de point de rencontre et de centre de communications. Les platanes du côté sud font une magnifique toile de fond du jardin central qui entoure le **monument à Cervantès**, dessiné en 1915 par Teodoro Anasagasti et Mateo Inurria. Mais les éléments les plus caractéristiques de la place sont les deux gratte-ciel qui s'appellent, respectivement, **Tour de Madrid** et **Bâtiment Espagne**. Ils furent construits durant la décennie des années cinquante, couronnement de la Gran Via. Ils sont tous les deux dus aux frères Otamendi.

Nous mettrons un point final à cet itinéraire dans le dernier tronçon de la Gran Via qui, avec ses constructions de styles et hauteurs différents est le plus varié et qui nous offrira la possibilité d'assister à un spectacle de notre choix.

Place d'España : monument en hommage à Cervantès, Bâtiment Espagne (au fond) et la Tour de Madrid (à gauche).

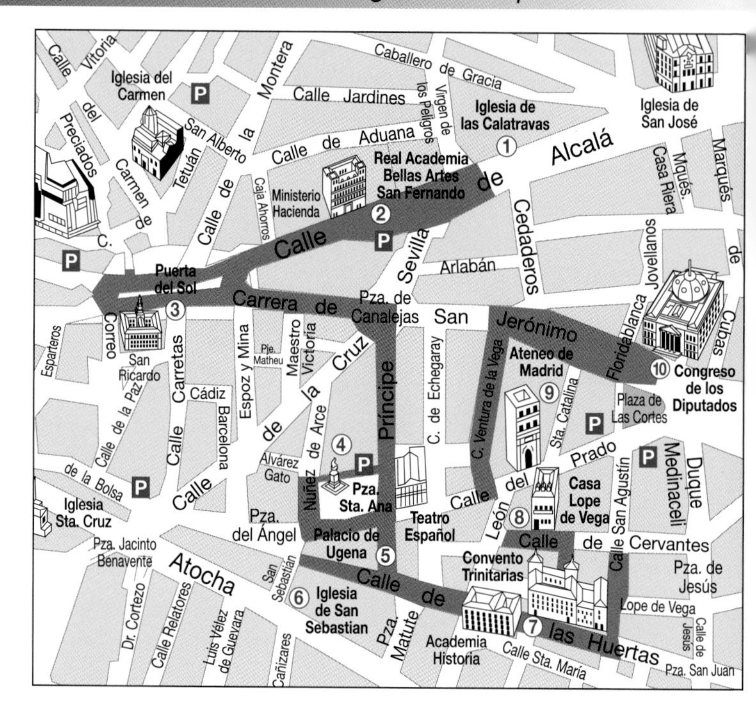

ITINÉRAIRE 5 (**) (TJ)

Cet itinéraire couvre les rues dans lesquelles avait lieu la vie littéraire et sociale de Madrid. La rue d'Alcalá, la Puerta del Sol et la zone de Canalejas étaient le centre des chocolateries et des cafés. La zone de Santa Ana et Huertas était le quartier des muses où vivaient les écrivains et les hommes de théâtre à l'époque des Habsbourg.

1.- Église des Calatravas (*). 2.- Académie Royale des Beaux-arts de San Fernando (**). 3.- Puerta del Sol (**). 4.- Place de Santa Ana (*). 5.- Palais de Ugena (*). 6.- Église saint Sébastien (*). 7.- Couvent des Trinitaires déchaussées (*). 8.- Maison musée de Lope de Vega (*). 9.- Athénée de Madrid (*). 10.- Congrès des Députés (**).

La **rue d'Alcalá** est, sans aucun doute, la rue la plus populaire de Madrid. C'est aussi la plus longue. Cette rue naquit, comme la plupart des rues de Madrid, grâce à l'inclusion dans le périmètre de la ville des tronçons du chemin qui allait jusqu'à Alcala de Henares, grande ville universitaire. C'est donc, depuis toujours, un chemin très fréquenté qui a changé sa physiono-

Rue d'Alcalá.

mie au rythme de la croissance de la ville. Les vergers, les oliviers, les auberges et les maisons de location de véhicules qui bordaient le chemin disparurent et laissèrent la place, à l'époque des Habsbourg, aux hôpitaux, calvaires, couvents et églises. Le **église des Calatravas (1)** fut le seul à subsister. Il recevait, depuis 1629, les sœurs de cet Ordre militaire. L'édifice fut construit suivant les canons baroques. À l'intérieur, nous pouvons voir les armures de l'ordre de Calatrava, ceux mêmes qui luttaient durant les croisades. Le couvent, de style baroque, fut détruit en 1872, et il n'en resta que l'église, dont l'aspect actuel se doit aux diffé-

Détail de l'église des Calatravas.

Casino de Madrid.

rentes restaurations opérées au cours du XIXème siècle.

Ne changeons pas de trottoir et allons vers la Puerta del Sol. Au numéro 15 nous trouverons le **Casino de Madrid**, construit en 1910 par López Salaberry d'après le projet de Luis Esteve. Il contient des éléments modernistes dans ses escaliers et sur sa façade. Cette zone de la rue d'Alcala et des rues voisines était, au XIXème siècle, le royaume des moments de loisir, avec des cafés tranquilles et des chocolateries dans lesquelles on pouvait passer de bons moments soit en discutant paisiblement avec les amis, soit en dégustant un café avec des brioches ou un chocolat avec des biscuits après les courses dans les magasins ou les soirées théâtrales.

« La Tirana », de Goya et « Fray Jerónimo Pérez », de Zurbarán (Archives Photographiques du Musée de l'Académie Royale des Beaux-arts de San Fernando).

L'ancienne Maison Royale des Douanes est le siège du Ministère de l'Économie et des Finances.

Tout à côté se trouve l'**Académie Royale des Beaux-arts de San Fernando (2)**, créée par Ferdinand VI en 1752 et construite d'après les plans de Domenico Olivieri, sculpteur de la cour de Philippe V. L'Académie se trouve dans un bâtiment réalisé en 1710 par Churriguera pour le banquier Juan de Goyeneche. Lors du changement de fonction, sa façade originelle de style baroque fut modifiée par Diego de Villanueva suivant le goût néo-classique de l'Académie. Aujourd'hui, le musée de l'Académie, dont Goya fut le directeur adjoint et par laquelle passèrent Picasso et Dalí entre autres, constitue un des plus riches du pays en peinture et sculpture, aussi bien espagnole qu'étrangère. De même, ses fonds incluent des dessins, gravures, mobilier, pièces d'argenterie, porcelaine et autres arts somptueux de diverses époques.

Au numéro 11 de la rue Alcalá se trouve l'ancienne **Maison Royale des Douanes**, oeuvre de Sabbatini (commandée par Charles III en 1769), de style néo-classique, avec une sobre façade dépourvue de décoration mais avec une remarquable saillie au rez-de-chaussée qui donne prestance à l'édifice couronné par une énorme corniche. Le dessin actuel accuse l'influence des palais romains de l'époque. Elle est aujourd'hui occupée par le Ministère des Finances.

Au fond de la rue se dresse la **Puer-**

Vue nocturne de la Puerta del Sol.

Détail de la station de métro Sol, Puerta del Sol. La première ligne de métro de Madrid, Sol-Cuatro Caminos, fut inaugurée en 1919.

ta del Sol (3), un des endroits les plus fréquentés et les plus populaires de Madrid depuis toujours. Elle a été le témoin d'événements importants de l'histoire de la ville et d'Espagne : le soulèvement du 2 mai 1808, représenté sur le tableau de Goya « La Charge des mameluks » ; l'inauguration de l'éclairage au gaz en 1830 ; l'inauguration de la première ligne de métro, en 1919 ; et la proclamation de la IIème République, en 1931. C'est aussi le **kilomètre zéro** de tous les chemins du pays. Dans un coin, face à la rue du Carmen, une **statue en bronze de l'ours et de l'arbousier** représente les armes héraldiques de Madrid.

La place surgit vers le XVème siècle, endroit habité des faubourgs de la ville, entouré par la muraille dont la porte était orientée « en direction du soleil », origine de son nom. Depuis 1560 des librairies, des gargotes, des bijouteries s'installèrent aux côtés des constructions existantes et la Puerta del Sol disputa à la place Mayar son caractère de centre de la ville. Il faut ajouter à tout cela la **fontaine de la Mariblanca**, dont il ne reste aujourd'hui que le souvenir sur une colonne à l'angle de la place qui en offre une réplique. Durant le règne d'Isabelle II eut lieu l'aména-

Sculpture de l'ours et de l'arbousier.

gement définitif de la place, d'après les plans des ingénieurs Lucio del Valle, Juan Rivera et José Morer qui lui donnèrent sa forme elliptique actuelle et ne conservèrent que l'**édifice de la Poste**, oeuvre de Jaime Marquet en 1761. Il fut le siège du Ministère du Gouvernement et, à partir de 1979, du Conseil de la Présidence de la Communauté de Madrid. Depuis le XIXème siècle, la tradition veut que chaque nuit de la saint-sylvestre, au son des cloches de son horloge, soit célébrée l'arrivée de la nouvelle année.

Statue de la Mariblanca.

On prend ensuite la route de saint Geronimo, où l'on trouve, sur le trottoir de droite, l'un des restaurants les plus classiques de la ville, **Lhardy**, créé en 1846 et célèbre pour sa décoration d'époque originale et son plat typique, le « cocido » (pot-au-feu), qui a, sans conteste, été dégusté par les plus importantes personnalités de la vie madrilène depuis sa création.

Traversons la **place de Canalejas**. A la fin du XVIIIème siècle, cette zone changea son caractère religieux contre le financier mais ce n'est qu'au début du XXème siècle que la place adopta son aspect actuel. Elle a été choisie par les banques, les compa-

L'ancienne Maison des Postes, Puerta del Sol.

Place de Santa Ana.

gnies d'assurances et les grandes entreprises qui y ont installé leurs bureaux. Nous pouvons y contempler plusieurs exemplaires de l'architecture régionaliste et historique de la fin du XIXème siècle.
Suivons la rue du Príncipe, rue traditionnellement commerciale, et arrivons à la **place de Santa Ana (4)**, centre névralgique du quartier des muses où se trouvaient le théâtre du Principe et celui de la Cruz depuis très longtemps déjà. Sur les terrains du premier on construisit le **théâtre Español** en 1802 après l'incendie qui le détruisit. Sur cette place et dans les rues voisines nous trouverons un grand nombre de restaurants, cafés et bars qui permettent une certaine ambiance décontractée en fin d'après-midi et durant la soirée. C'est la zone préférée des madrilènes et des touristes qui veulent prendre un pot ou sortir dîner.

A l'angle de la rue du Principe avec celle de Huertas nous pouvons admirer la façade baroque du **palais de Ugena (5)**, oeuvre caractéristique de Pedro de Ribera en 1734, siège actuel de la Chambre de commerce.
En suivant la rue de Huertas, à droite, nous arriverons à l'**église saint Sébastien (6)**, paroisse des baptêmes, mariages et enterrements des gens de théâtre. Les restes de Lope de Vega y furent enterrés. L'édifice actuel est une reconstruction de 1950.
En revenant à la rue de Huertas nous trouverons plusieurs constructions intéressantes: la **maison « Pérez Villamil »**, située sur la place de Matute, est un bel exemplaire de style moderniste, oeuvre d'Eduardo Reynals, de 1906 ; l'**Académie Royale d'Histoire**, fondée en 1735 par Philippe V, qui se trouve dans un immeuble que Juan de Villanueva construisit en 1788;

Maison Pérez Villamil.

Académie Royale d'Histoire.

Maison Musée Lope de Vega.

plus loin, en faisant le tour du pâté de maisons, nous nous trouverons devant la façade du **couvent des Trinitaires déchaussées (7)**, dans la rue Lope de Vega, construit en 1673 par Marcos López suivant le style baroque. Tous les ans, le 23 avril, l'Académie de la langue y célèbre des funérailles en mémoire de Cervantès qui y est enterré. Une fille de Lope de Vega fut sœur dans ce couvent sous le nom de sœur Marcela de San Félix.

Prenons la rue de San Agustín afin d'arriver devant la **maison musée de Lope de Vega (8)**, située au numéro 11 de la rue de Cervantès. Elle fut achetée par le grand poète et dramaturge en 1610, qui y vécut jusqu'à sa mort, en 1635. La maison fut soigneusement reconstituée pour en garder l'ambiance propre de cette époque, réunissant un grand nombre de souvenirs de l'écrivain. Elle représente, d'autre part, l'une des dernières habitations typiques de Madrid du début du XVIIème.

Allons maintenant à la rue du León et, à travers elle, à celle du Prado où se trouve le siège de l'**Athénée de Madrid (9)**, institution artistique, scientifique et littéraire créée en 1820 par un groupe

Athénée de Madrid.

Palais de Miraflores.

Façade principale du Palais des Congrès des Députés et détail de l'un des lions qui gardent cette entrée.

d'intellectuels et de politiques libéraux et dont la tradition a été récupérée après de nombreux avatars historiques. C'est un édifice construit en 1884 par Fort et Guyenet, avec une importante bibliothèque et une galerie de portraits de membres influents de l'institution.

La rue de Ventura de la Vega nous permettra d'arriver à la Carrera de San Jerónimo, devant la façade baroque de l'ancien **palais de Miraflores**, réalisation de Pedro de Ribera. En descendant vers la promenade du Prado nous pourrons voir le **Congrès des Députés (10)**, siège du Parlement espagnol. Il fut construit sur les anciens terrains de l'église du saint-esprit dans laquelle se réunissaient les Cortes depuis 1834. L'Académie Royale de San Fernando choisit un projet de Narciso Pascual y Colomer qui s'inspira dans les palais italiens du Quattrocento en ajoutant un porche corinthien avec fronton classique afin de relever un peu l'aspect de la façade. Isabelle II posa la première pierre en 1843 et les travaux furent achevés en 1850. Les deux lions qui encadrent l'entrée furent fabriqués en 1860 avec le métal fondu des canons capturés durant la guerre d'Afrique.

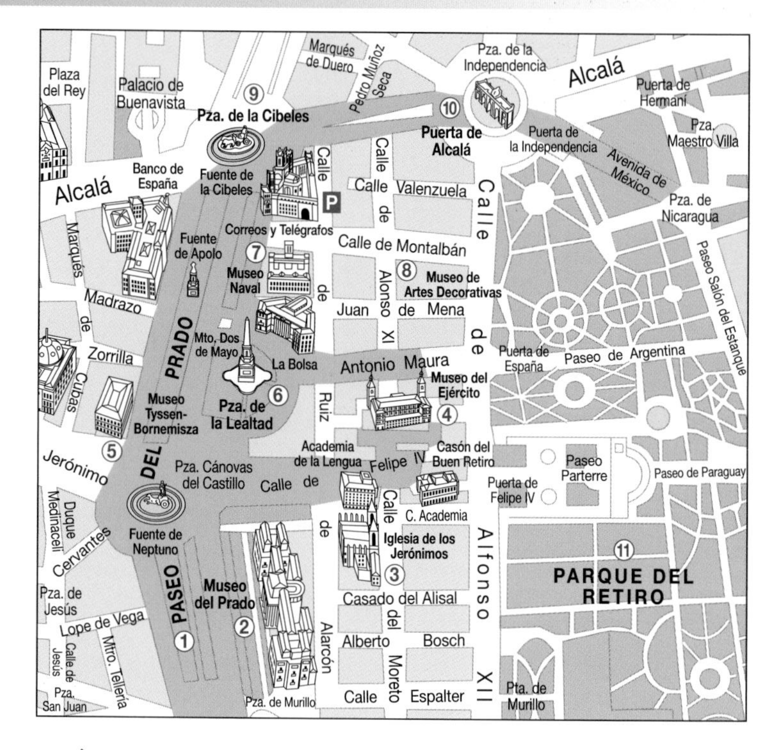

ITINÉRAIRE 6 (***) (TJ)

La zone couverte par cet itinéraire est l'une des plus denses du point de vue monumental et muséologique. C'est un exemplaire caractéristique des initiatives urbaines des Bourbons durant le XVIIIème siècle et elle renferme des musées d'art, aux visites incontournables, tels que le Prado et le Thyssen-Bornemisza.

1.- Promenade du Prado (***). 2.- Musée du Prado (***). 3.- Église des Jerónimos (**). 4.-Musée de l'Armée (*). 5.- Musée Thyssen-Bornemisza (***). 6.- Place de la Lealtad (*). 7.- Musée Naval (*). 8.- Musée National des Arts Décoratifs (**). 9.- Place de la Cibeles (***). 10.- Porte d'Alcalá (**). 11.- Parc du Retiro (**).

La **promenade du Prado (1)** a été, depuis le Moyen Age, une zone de promenade et un centre de réunion car elle offrait, aux alentours de la ville, un paysage agréable d'arbres et de potagers arrosés par un ruisseau qui le traversait de nord à sud. Elle conserva ce caractère tout au long du XVIIème siècle mais c'est au XVIIIème que Charles III et son ministre, le comte d'Aranda, transformèrent le Salon du Prado en clair exposant des idées illustrées de l'époque. Ils créèrent une zone scientifique et culturelle qui conjuguait l'utilité à la beauté et le divertissement. Ils comptèrent sur les projets de José Hermosilla, qui dessina la promenade en forme d'hippodrome fermé aux extrémités par des demi-cercles. On nivela donc les terrains, changea le cours du ruisseau et le recouvrit et remania toutes les plantations afin de créer des zones d'ombre tout en laissant une large promenade pour laquelle l'architecte Ventura Rodríguez dessina de grandes fontaines monumentales que nous pouvons contempler aujourd'hui encore. Les quatre fontaines, situées sur la **place de Murillo**, des deux côtés de la promenade furent réalisées en marbre de Redueña; la **fontaine de Neptune**, sculptée en marbre de Montesclaros par Juan Pascual de Mena, qui représente le dieu sur un chariot en forme d'escargot de mer, tiré par des hippocampes; la **fontaine d'Apollon**, qui est repré-

Place de Murillo.

Fontaine de Neptune.

Fontaine d'Apollon.

senté sur un haut piédestal entouré par les quatre saisons et qui fut sculptée par Giraldo Bergaz et Manuel Alvarez; et enfin, fermant la promenade sur la place qui porte son nom, la **fontaine de la Cibeles**, décrite plus loin.

Le projet comprenait aussi un portique à colonnes qui bordaient un des côtés de la promenade et devait abriter des chocolateries et des cafés. Mais il ne vit jamais le jour. L'autre côté était bordé par des immeubles qui abritaient des sociétés de recherches. C'est ainsi que surgit le Jardin botanique et le Muséum d'Histoire Naturelle, actuel musée du Prado, dessinés par Juan de Villanueva suivant le style néo-classique qui domine toute la promenade.

Fontaine de la Cibeles.

Façade principale du Musée du Prado et monument en hommage à Velázquez.

Le **musée du Prado (2)** est une magnifique construction néo-classique construite en 1785 par l'architecte Juan de Villanueva. Il abrite l'importante pinacothèque crée en 1819 par le roi Ferdinand VII sur l'initiative de son épouse Isabelle de Bragance et qui y déposa 311 tableaux de la collection royale de peintures. Postérieurement, la collection s'agrandit avec les successives donations royales, les tableaux provenant des couvents « sécularisés » et des legs particuliers. Actuellement, le fonds du musée possède plus de 6 000 oeuvres dont une partie se trouve dans ses dépôts et dans d'autres institutions. Agrandi déjà depuis plusieurs années par le proche **Casón del Buen Retiro** (rue de Alfonso XII, 28), le musée fit construire en 1999 une nouvelle extension et réforma ses dépendances pour donner une meilleure capacité à ses extraordinaires fonds, aussi bien en quantité qu'en qualité, ce qui le convertit en l'une des meilleures pinacothèques du monde.

On peut observer trois styles de construction classique dans l'édifice principal: la rotonde-vestibule, l'église et le palais, reliés entre eux par des galeries. Remarquons son portique central avec six grandes colonnes de style dorique, qui nous rappelle les temples grecs.

Le musée réunit, en plus de sa pinacothèque extraordinaire, plus de 400 sculptures classiques et de nombreux objets précieux, tels que le Trésor du Dauphin, magnifique collection de vaisselle et de porcelaines qui appartenaient au fils aîné de Louis XIV, héritier de la couronne de France mais qui mourut avant

« Le chevalier de la main sur la poitrine », de El Greco (Musée du Prado).

de pouvoir monter sur le trône. Sa pinacothèque, qui va du style roman à Goya, compte non seulement une superbe collection de trois des plus grands génies picturaux de tous les temps – El Greco, Velázquez et Goya – , mais aussi, ses non moins exceptionnelles pièces des plus importantes écoles picturales européennes du passé (flamande, italienne, hollandaise, française et allemande). Et sans oublier bien sûr que quelques peintres étrangers, comme le Titien, ou quelques écoles, la peinture vénitienne du XVIème siècle, ont au Prado une représentation plus importante que dans d'autres musées européens. Parmi les chefs-d'œuvre exposés, signalons : *Le Chevalier à la main sur la poitrine* et le *Baptême du Christ*, du Gréco; *Les Ménines*, *Les Lances*, *Les ivrognes*, *Por-*

« Les Ménines » de Velázquez et « La maja nue » de Goya (Musée du Prado).

Église de saint Jérôme le Royal.

trait équestre de Philippe IV, Portrait équestre du comte-duc d'Olivares et *Le Christ Crucifié* de Velázquez ; *La Maja nue, La Maja Vêtue, La Famille de Charles IV, Le 3 mai 1808 à Madrid : fusillade sur la montagne Príncipe Pío, Le 2 mai 1808 à Madrid : la révolte avec les mamelouks* et les « Peintures noires », de Goya ; *L'Empereur Charles Quint à cheval*, du Titien; *Portrait d'un cardinal* et *La Vierge de la Rose*, de Raphaël ; *Le chevalier à la chaîne d'or*, du Tintoret ; *Jésus et le centurion*, de Véronèse ; *David vainqueur de Goliath*, du Caravage ; *La Dormition de la Vierge* de Mantegna ; *Artémise*, de Rembrandt ; des œuvres de Durer et, pratiquement, la meilleure production de Rubens, Bosch et Brueghel.

Entre le bâtiment principal et le Casón del Buen Retiro se trouve l'**église de saint Jérôme le Royal (3)** qui est un cas très particulier à cause de ses successives constructions et pour son impor-

Le Domaine del Buen Retiro, aujourd'hui dépendance du Musée du Prado.

tance historique dans la Ville et Cour. C'est le roi Henri IV de Castille qui fonda en 1462 un monastère hiéronymite sur le vieux chemin du Prado. En 1501, les Rois Catholiques décidèrent, devant le mauvais état du bâtiment de déplacer le monastère et de l'installer sur les terrains qu'il occupe actuellement. Les travaux s'achevèrent, dans le style gothique, en 1505. En 1510 les premières Cortes réunies par Ferdinand le Catholique s'y retrouvent. Depuis lors le monastère connut le serment des Princes des Asturies, la proclamation des Rois, les mariages royaux et d'autres cérémonies solennelles. Il aura aussi un caractère de retraite car il y a, depuis Charles Ier, la « Vieille Chambre », dans laquelle les rois passent les périodes de deuil et de carême. Au cours du temps, le bâtiment s'est agrandi et est devenu le centre originel du grand ensemble du palais du Buen Retiro que fit construire le comte-duc d'Olivares pour les loisirs de Philippe IV. Durant tout le XIXème siècle, le monastère fut soumis à de nombreuses vicissitudes et fut à moitié détruit. Isabelle II le fit restaurer par Narciso Pascual y Colomer suivant un style inspiré dans l'architecture castillane du dernier gothique.

Les seuls autres éléments qu'il nous reste de cet ensemble palatin datant de l'époque de Philippe IV sont, le sus-dit **Casón del Buen Retiro** et le bâtiment du **Musée de l'Armée (4)**, dans lequel se trouve la Salle du Trône, dont le toit est décoré des blasons de tous les règnes qui faisaient alors partie de la Couronne d'Espagne. Le Musée de l'Armée propose à ses visiteurs un parcours de l'histoire militaire espagnole, sur trois étages dédiés respectivement, à l'Infanterie, à la Cavalerie et à l'Artillerie. Les pièces particulières que l'on peut y trouver sont les épées du Cid et de Boabdil et une collection de plus de vingt mille petits soldats de plomb provenant de tous les pays et de toutes les époques.

De retour sur le Paseo del Prado, nous visitons le **Musée Thyssen-Bornemisza (5)**, qui se situe dans le dix-neuvième palais de Villahermosa. Il ouvrit ses portes au public en 1992. Il présente une des meilleures collections privées de peinture qui existent au monde, regroupée par Heinrich Thyssen, magnat allemand né en 1875, et son fils le baron Von Thyssen pendant tout le XXème siècle. La collection, avec des oeuvres du XIVème siècle à aujourd'hui, vient compléter celles de ces voisins, le Musée du Prado et le Centre d'Art Reina Sofía puisque, d'une certaine façon, elle comble les trous des collections de ces deux derniers musées. Parmi les nombreuses oeuvres maîtresses qu'il abrite, il faut citer le *Diptyque de l'Annonciation* de Jan Van Eyck, *Portrait de Giovanna Tornabuoni* de Ghirlandaio, *Jeune Chevalier dans un paysage* de Carpaccio ou *Sainte Catherine d'Alexandrie* du Caravage. Les XVIIème et XVIIIème siècles sont représentés par des artistes tels que Rubens, Van Dyck, Pieter de Hooch, Watteau, Boucher ou Chardin. Du XIXème siècle, se trouvent des tableaux oeuvres de réalistes tels que Courbet, des impressionnistes comme Degas, Manet, Monet, Renoir, Pissarro et Sisley, des post-impressionnistes comme Toulouse-Lautrec, Cézanne, Van Gogh et Gauguin, ainsi qu'une importante collection d'artistes américains et trois Goya. Du XXème siècle, il existe des œuvres de tous les courants artistiques avec des célébrités telles que Picas-

Palais de Villahermosa, siège du Musée Thyssen-Bornemisza.

Place de la Lealtad: monument au Soldat Inconnu et bâtiment de La Bourse.

so, Miró, Matisse, Klimt, Schiele, Nolde, Mondrian, Magritte, Kandinsky, Paul Klee, Max Ernst, Dalí, Rothko, Pollock, Edward Hooper et Francis Bacon.

En face du musée, nous trouvons la **Place de la Lealtad (6)** (Place de la Loyauté), lieu agréable en raison de son ampleur et de ses jardins. Au centre, se dresse le Monument au Soldat Inconnu, en hommage aux madrilènes tombés durant la révolte du 2 mai 1808. Autour de la place, nous pouvons de notables bâtiments tels que **La Bourse**, construite en 1884 par l'architecte Repullés y Vargas, dans le style officiel de l'époque, et les **hôtels Ritz et Palace**, inaugurés respectivement en 1910 et 1912.

Juste avant d'arriver a la place des Cibeles, au numéro 5 du Passage du

Hôtel Palace.

Musée Naval : perspective des salles des Rois Catholiques, des Rois de la Maison d'Autriche et des Sciences Nautiques. (Archives Photographiques du Musée Naval).

Cuisine traditionnelle valencienne qui s'expose au Musée National des Arts Décoratifs.

Prado, la visite du **Musée Naval (7)** nous permettra d'entrer dans l'histoire de la navigation espagnole et d'admirer une riche collection de cartographie. L'offre muséologique de ce dernier itinéraire se complète par le **Musée Télégraphique et des Postes et le Musée National des Arts Décoratifs (8)**, se situant tous deux dans la rue voisine dite rue de Montalbán. Les riches pièces de toutes époques confondues (meubles, artisanats, céramiques, porcelaines, éventails, jouets, etc.) qu'expose le deuxième, le rende tout spécialement intéressant. Ses salles sont agencées d'après deux concepts : classement par ordre chronologique des collections d'objets et recréation de l'ambiance domestique des différentes régions d'Espagne, depuis la Renaissance jusqu'au XIXème siècle.

La promenade du Prado s'achève sur la **place de la Cibeles (9)**, connue populairement par les madrilènes sous le nom de « la Cibeles ». C'est l'une des plus fameuses places de la ville, présidée par la fontaine qui représente la déesse Terre. Le projet fut confié à Ventura Rodríguez. Roberto Michel et Francisco Gutiérrez furent les sculpteurs des lions et de la statue féminine. C'est aussi l'un des plus beaux recoins de Madrid, avec les perspectives des avenues et des promenades qui y débouchent. La noblesse des bâtiments qui l'entourent rehausse sa qualité urbaine aussi bien par leur qualité que par ce qu'ils représentent et dont nous parlerons à continuation.

La **Banque d'Espagne** fut créée par Echegaray en 1874, seule habilitée à émettre de la monnaie. Eduardo Adaro et Severiano Sainz de Lastra furent les auteurs du projet qui fut réalisé entre 1884 et 1891 suivant un style inspiré des architectures des palais italiens et français. Elle contient une importante collection de peintures, dont plusieurs de Goya, d'où le fait que sa visite n'est possible que sur réservation anticipée.

Le **Palais des Communications**, qui abrite le siège des Postes, fut construit en 1904 par l'architecte Antonio Palacios. L'énorme façade est de style monumental mais l'intérieur remplit très bien sa fonction de lieu de travail.

Fontaine de la Cibeles et Banque d'Espagne.

Place de la Cibeles et Palais des Télécommunications.

Palais de Linares.

Le **palais de Linares** est un des meilleurs exemplaires de l'architecture de palais du XIXème siècle, avec une belle façade de style néo-baroque. C'est une réalisation de Carlos Colubi qui fut construite suivant les désirs d'un homme d'affaires enrichi qui reçut le titre de marquis de Linares. C'est aujourd'hui le siège de la Maison d'Amérique, centre culturel latino-américain.

Et le **palais de Buenavista**, siège actuel du Quartier Général des Armées, fut construit à la fin du XVIIIème siècle par Juan Pedro Arnal, entant que résidence de Cayetana de Alba, la duchesse immortalisée par Goya et qui mourut avant la fin des travaux. Il appartint ensuite à Manuel Godoy, premier ministre de Charles IV et prince de la Paix.

Prenons maintenant à droite, la rue d'Alcalá, et admirons, au fond, la **Porte d'Alcalá (10)**, qui est sans aucun doute, tout comme la fontaine de la Cibeles, le monument le plus célèbre et représentatif de Madrid. Il fut construit en arc de triomphe, par Charles III, qui voulait soigner les entrées à la ville. Parmi les nombreux projets présentés, ce fut celui de l'architecte Francisco Sabbatini qui fut choisi. Il envisage la construction suivant le plus pur style néo-classique, uniquement altéré par les couronnements sculpturaux réalisés par Francisco Gutiérrez et Roberto Michel. Réalisé en granit et en pierre blanche de Colmenar, il est formé par cinq arcades, les deux dernières dégénérant en ligne droite. Bien que tous les arcs aient la même hauteur, celui du centre semble plus élevé à cause de l'attique qui le couronne. La façade intérieure est décorée de piliers alors que l'extérieure porte des colonnes.

Une des entrées du **Parc du Retiro (11)** s'ouvre sur la place. Il s'agit du parc le plus important de Madrid, non seulement

Porte d'Alcalá.

par ses dimensions, 12 hectares, mais aussi par son histoire. Ces jardins étaient un complément de l' ancien palais du Buen Retiro qui fut construit avec l'aide d'artistes italiens qui le conçurent comme une succession d'espaces dans lesquels la végétation alterne avec les étangs, les statues, les petits ermitages, formant un authentique labyrinthe. Ce goût baroque italien fut transformé au XVIIIème siècle,

Parc du Retiro : une des portes d'entrée et l'étang, présidé par le monument en hommage à Alphonse XII.

Parc du Retiro : palais de Cristal, palais de Velázquez et monument en hommage au général Martinez Campos.

à l'arrivée des Bourbon au trône. L'influence française fut alors prédominante; un bon exemple en est la zone du parc qui reçoit le nom de « Parterre ». Durant la guerre d'Indépendance, l'endroit fut totalement détruit et il retrouva la vie durant le règne de Ferdinand VII et celui d'Isabelle II. À partir de la révolution de septembre 1868, le caractère du jardin changea radicalement en devenant propriété municipale. Il s'ouvrit alors à tous les habitants de la ville. C'est un lieu de promenade qui permet les activités les plus variées qui vont de la promenade à bateau sur l'étang (sur les rives duquel se dresse la statue d'Alphonse XII), se reposer sur les terrasses, assister à toute sorte de jeux ou contempler les fréquentes expositions qui ont lieu au **palais de Velázquez** ou au **palais de Cristal**. Le parc possède de nombreuses statues de personnages célèbres parmi lesquelles nous signalerons celle du général Martínez Campos, de Mariano Benlliure.

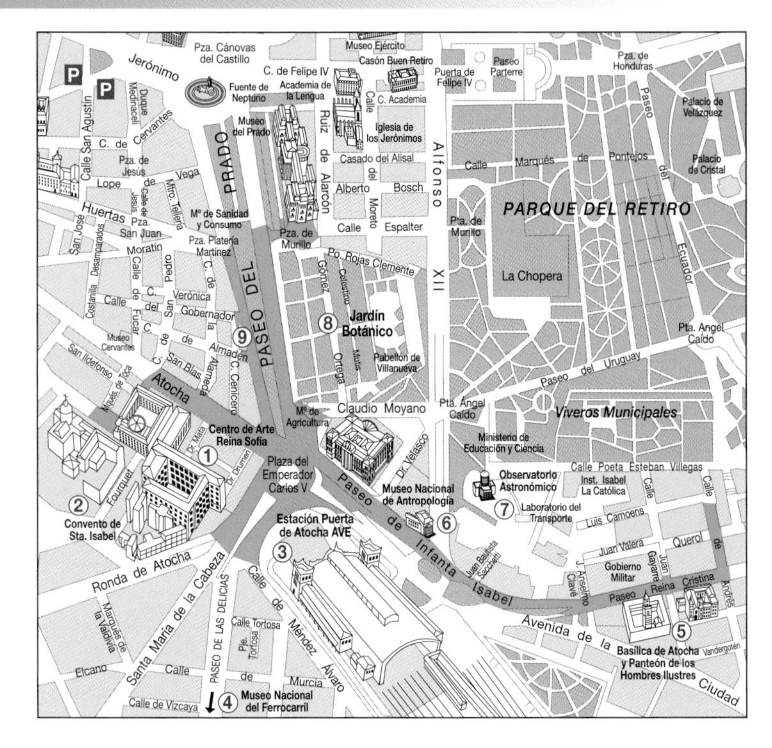

ITINÉRAIRE 7 (***) (TJ)

Cet itinéraire parcourt une zone qui comprend un grand nombre de musées et d'édifices singuliers qui conjuguent des éléments anciens aux modernes, qui lui donnent un air très particulier.

1.- Musée National Centre d'Art Reine Sophie/MNCARS (***). 2. Couvent de sainte Isabelle (*). 3.- Gare Porte d'Atocha TGV (*). 4.- Musée National du Chemin de Fer (*). 5.- Basilique d'Atocha et Panthéon des Hommes Illustres (*). 6.- Musée National d'Anthropologie (**). 7.- Observatoire astronomique (*). 8.- Jardin Botanique (**). 9.- CaixaForum Madrid (**).

Notre parcours commence au **rond-point d'Atocha**, important centre de communication de la ville qui se trouve autour d'une des anciennes portes de Madrid. C'est une autre des zones urbanisées par les Bourbon au XVIIIème siècle. On doit le trident des avenues qui vont du rond-point vers le sud à Ferdinand VI. L'ancienne tradition madrilène du culte à la Vierge d'Atocha, dans la basilique de même nom, s'ajoute au caractère particulier de la place. La présence du **Musée National Centre d'Art Reine Sophie/MNCARS (1)** favorise cette ambiance mouvementée et bruyante. Le Centre se trouve dans l'énorme édifice de l'ancien hôpital général de San Carlos, projet conçu par Charles III et réalisé suivant les plans de l'architecte Sabbatini. Les tours de verre avec ascenseur de la façade qui donne sur la rue Santa Isabel furent ajoutées en 1988. Le bâtiment annexé pour l'agrandissement et qui donne sur la Ronda de Atocha, fut inauguré en 2005. On le doit à l'architecte français Jean Nouvel. L'espace d'exposition atteint donc actuellement les 49 000 m^2.

Consacré à l'art contemporain dans toutes ses manifestations, avec des oeuvres aussi bien espagnoles qu'étrangères, ses fonds proviennent essentiellement des collections de l'ancien MEAC et des propres acquisitions du MNCARS, mais également d'importants legs tels que ceux effectués par Salvador Dalí et Joan Miró. Du premier, il faut mentionner les oeuvres *Fille à la Fenêtre, Arlequin* et *Le grand masturbateur*. De Joan Miró sont exposées plusieurs peintures et sculptures de sa dernière période, entre 1967 et 1983, année de sa mort. Mais, sans doute, un des grands intérêts du MNCARS est le tableau *Guernica*, la vision déchirée que Picasso peignit, en 1937, de l'horreur, la mort et la destruction du bombardement de Guernica. D'autres oeuvres présentées du génial peintre de Malaga sont des ébauches préparatoires de Guernica et *Femme en bleu*. Juan Gris, Pablo Gargallo, Braque, Antoni Tàpies, Chillida, el Equipo Crónica, Francis Bacon, Tony Cragg, Shnabel, Bruce Nauman, Dan Flavin et beaucoup d'autres artistes sont aussi représentés dans ce musée, qui organise également d'importantes expositions temporaires.

En suivant la rue de Santa Isabel, à gauche, nous trouverons le **Couvent de sainte Isabelle (2)** (Monastère royal des Augustines Récollets), fondé par Philippe II en honneur de sa fille Isabelle Clai-

Musée national Centre d'Art Reine Sofia : agrandissement de Jean Nouvel.

« Guernica », de Pablo Ruíz Picasso et « El Gran Masturbador », de Salvador Dalí.
(Archives Photographiques du Musée National Centre d'Art Reine Sophie, Madrid).

re Eugénie. Le bâtiment est sorti des crayons de Juan Gómez de Mora, en 1640 et conserve, malgré l'incendie de 1936, une bonne partie de la structure qui fut postérieurement restaurée.

Revenons sur nos pas, vers le rond-point d'Atocha et dirigeons-nous vers la **Gare Porte d'Atocha TGV (3)**, point de départ de nombreuses lignes de chemin de fer. En 1851, la reine Isabelle II inaugura la gare (la première de Madrid) depuis laquelle partait le train de la ligne Madrid-Aranjuez, connu populairement sous le nom du « train de la fraise ». La gare primitive fut détruite par un incendie et l'actuelle fut construite en 1892 d'après le projet d'Alberto de Palacio qui dessina deux pavillons en brique entre lesquels se dresse la grande toiture en fer et verre sous laquelle se trouvent les voies et les quais. Un siècle plus tard, en 1992, elle fut totalement réaménagée pour pouvoir y héberger la ligne de train à grande vitesse (AVE). Ses murs renferment un jardin tropical.

Près de la gare se dresse le **Monument aux victimes du 11 mars 2004**, victimes de l'attentat terroriste réalisé dans cette gare, dans celles de Santa Eugenia et d'El Pozo. Le monument, inauguré en 2007, est formé par

Gare Porte d'Atocha : jardin tropical à l'intérieur.

Monument en hommage aux victimes de l'attentat du 11 mars 2004.

un grand cylindre de 11 mètres de haut et à l'intérieur duquel on peut lire les noms des 191 victimes du massacre ainsi que les messages, émouvants, et les inscriptions que les citadins écrivirent sur les murs et les carreaux de la gare au cours des jours qui suivirent l'attentat. On peut entrer dans le monument à partir de la gare.

Les amoureux des trains de doivent d'étendre leur visite par le **Musée National du Chemin de Fer (4)**, situé plus bas, sur la Promenade des Delicias, au numéro 61. Le musée présente, dans l'ancienne gare des Delicias, fermée au trafic ferroviaire depuis 1971, un vaste inventaire de trains, maquettes, gravures et autres objets comme le mobilier le plus divers utilisé dans les trains et les gares, et ce musée nous raconte l'histoire du chemin de fer en Espagne depuis ses origines jusqu'à aujourd'hui.

De l'autre côté du rond-point nous pouvons contempler le **Ministère de l'Agriculture**, l'un des plus importants édifices officiels de Madrid sans aucun doute. Construit en 1893 par Ricardo Velázquez Bosco pour accueillir le Ministère du « *Fomento* » (travaux publics, commerce, industrie et agriculture), il offre un portique de colonnes soutenues par des cariatides, les sculptures du corps supérieur et des voûtes en canon cylindrique aux angles. Comme toutes les

Ministère de l'Agriculture.

oeuvres de cet architecte, il est décoré de matériaux de plusieurs couleurs et d'applications d'azulejos.
En prenant la promenade de l'infante Isabel, nous arriverons à l'ensemble monumental de la **Basilique d'Atocha et au panthéon des Hommes illustres (5)**. Le culte à la Vierge remonte au VIIIème siècle, après l'invasion musulmane. A l'époque de Charles Quint le couvent des dominicains (où vécut et mourut le frère Bartolomé de las Casas) fut fondé et la construction de l'église commença. Elle a souffert des remaniements postérieurs. Placé sous le patronage royal, le couvent a été durant plus de deux cents ans le lieu préféré de la piété courtisane. En 1901 commencèrent les travaux de reconstruction suivant les plans de Fernando Arbos, influencé par l'architecture vénitienne et toscane du Moyen Age. Mais on ne

Basilique de la Vierge d'Atocha.

Panthéon d'Hommes Illustres.

Observatoire Astronomique.

construisit que le cloître, le clocheton et le panthéon des Hommes illustres dans lequel il ne reste que quelques-unes des tombes qu'il accueillit : Sagasta, Eduardo Dato, Cánovas del Castillo, Mendizábal, Argüelles et Martínez de la Rosa. Devant cet ensemble se trouve la **Fabrique Royale de Tapisseries**, institution fondée en 1721 par Philippe V qui fit venir pour sa réorganisation Vandergoten, célèbre tisserand de Bruxelles. Installée dans cet édifice en 1888, c'est aujourd'hui une entreprise privée.

Revenons vers Atocha et approchons-nous du **Musée d'Anthropologie (6)** qui se trouve à l'angle de la rue Alfonso XII. Il fut inauguré en 1875 sur l'initiative d'un particulier et contient des riches collections d'anthropologie, d'ethnologie et de préhistoire, à noter les pièces provenant des Philippines et d'Afrique.

Remontons cette rue et nous verrons, dans les jardins situés à droite, de l'autre côté du tertre de San Blas, l'**Observatoire Astronomique (7)**, construit sur l'initiative de Jorge Juan qui suggéra à Charles III la création d'une Salle d'astronomie, complément du désir du monarque pour la diffusion des sciences. Les travaux ne commencèrent qu'en 1790,sous le règne de Charles IV. Le bâtiment, dessiné par Juan de Villanueva, est l'un des plus clairs exemplaires du néo-classicisme de Madrid; formé par

Le Pavillon Villanueva, dans le Jardin Botanique.

une rotonde flanquée de quatre corps quadrangulaires situés en forme de croix, il possède un remarquable portique de colonnes corinthiennes et un svelte petit temple supérieur.
Plus loin nous tournerons à gauche, à la Cuesta de Claudio Moyano, endroit très connu grâce aux kiosques de bois où l'on vend des livres d'occasion; c'est un lieu de promenade typique des bibliophiles.
Prenons la promenade du Prado pour visiter le **Jardin Botanique (8)** fondé en 1781 par Charles III, conséquence directe de l'Illustration et qui forme un ensemble culturel avec les bâtiments de la zone du Prado. Réalisé par Juan de Villanueva suivant le goût néo-classique de l'époque, il est disposé en trois terrasses: les plantations y sont organisées en formant des figures géométriques (cercles et carrés). Sur la terrasse du haut se trouve le pavillon Villanueva qui servit de serre et de bibliothèque. Cette terrasse fut réaménagée au XIXème siècle: on y installa un jardin romantique. Les deux autres terrasses conservent leur caractère original; dans la première, dite des carrés, les plantes médicinales alors que la seconde, dite des écoles, accueille une présentation de plantes rangées des plus primitives aux plus évoluées.
Devant le Jardin Botanique, de l'autre côté du Paseo del Prado, on peut admirer la façade originale du **CaixaForum Madrid (9**) dont les expositions, surtout les temporaires, complètent l'offre culturelle de cette zone. L'immeuble a été inauguré en 2008. C'est un projet signé par les architectes suisses Herzog et de Meuron qui ont totalement réorganisé la structure de l'ancienne Centrale Electrique Mediodia, élargissant la surface de 2 000 à 8 000 m^2. L'acier corten est très présent dans cette construction et couronne les nefs de brique de l'ancienne centrale électrique. Le mur mitoyen de verdure fut dessiné par le botaniste français Patrick Blanc.

CaixaForum Madrid. Photo © CaixaForum Madrid.

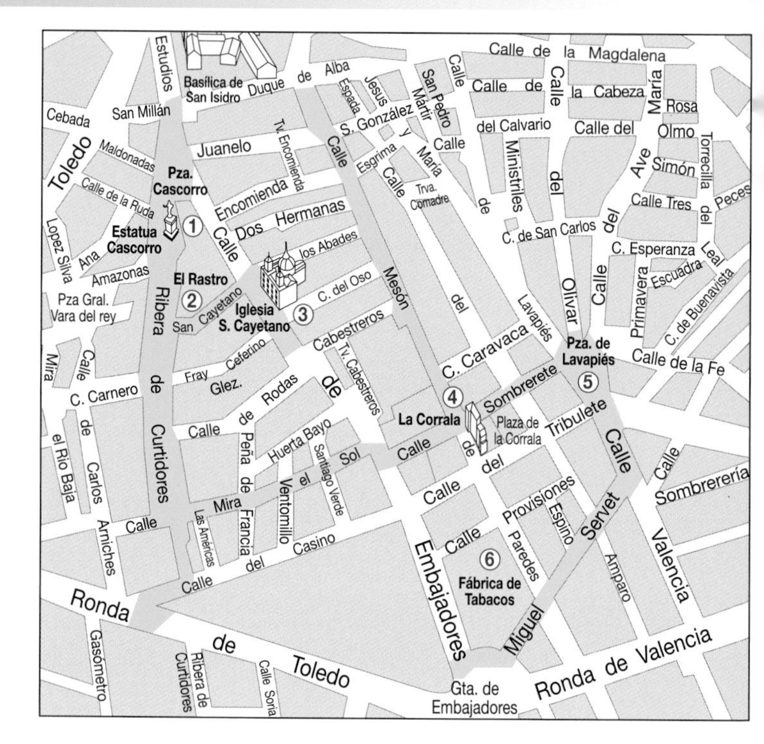

ITINÉRAIRE 8 (**) (Dimanche matin)

Ce parcours, qui inclue une grande partie des quartiers traditionnels du Madrid authentique, couvre une large zone dont l'intérêt, contrairement aux autres parcours plus monumentaux, est surtout vital et typique.

1.- Place de Cascorro (*). 2.- Le Rastro (***). 3.- Église saint-Gaétan (*). 4.- Corrala de la rue Mesón de Paredes (**). 5.- Place de Lavapiés (*). 6.- Manufacture des tabacs (*).

La **place de Cascorro (1)** est le point de départ de la zone qui devint, aux XVIème et XVIIème siècles, les « bas quartiers » de Madrid, en raison de leur emplacement topographique par rapport au noyau central de l'Alcazar (qui devint ensuite le Palais Royal) et les dépendances de la Cour, situées dans la partie haute de la ville. Les maisons furent habitées par des artisans et de modestes employés. Reflet fidèle de cette époque, les noms des rues: Ministriles, Cabesteros ou rive de Curtidores. La place de Cascorro porte le nom d'une bataille livrée à Cuba en 1896 et est dominée par la statue d'Eloy Gonzalo, héros de cette bataille et habitant de Lavapiés. La statue fut sculptée par Aniceto Marinas et López Salaberry en 1901 et représentait le soldat juste avant de mettre le feu avec du pétrole au fortin où se réfugiait un groupe d'insurgés. La corde attachée à sa ceinture permettait à ses compagnons de le tirer au cas où il serait tué.

Monument en hommage à Eloy Gonzalo, place de Cascorro.

Le Rastro.

Le **Rastro (2)** est le marché aux puces le plus connu et le plus intéressant de la ville. Il se situe entre la place de Cascorro et la Ronda de Toledo. Son axe central est la rue Ribera de Curtidores. Son origine remonte au XVIème siècle lorsque l'abattoir (dit aussi « rastro ») occupait cet endroit et que de nombreux

Détail de la façade de l'église de saint Gaétan.

stands s'établirent tout autour. Durant le XIXème siècle, les fripiers et les brocanteurs y installèrent leurs premiers magasins qui donnèrent naissance aux salles de ventes aux enchères et aux magasins d'antiquités actuels. Mais ce qui caractérise surtout le Rastro d'aujourd'hui est la multitude de stands dans lesquels on peut trouver absolument de tout et la foule qui s'y presse pour acheter, marchander ou simplement se promener et profiter du spectacle de rues pleines d'effervescence. Le dimanche matin est le meilleur moment pour une visite. Durant les autres jours de la semaine, les magasins sont ouverts mais les stands ne sont pas installés.

Tournons à gauche, dans la rue de San Cayetano, afin d'arriver à la rue des Embajadores et admirer la façade de l'**église saint Gaétan (3)** qui construisirent en 1722 les architectes Pedro de Ribera et José de Churriguera. Sa façade et son parvis sont un intéressant exemplaire du baroque. Le reste de l'église est reconstruit et le projet initial ne

Retable de l'église San Cayetano.

La Corrala de la rue Mesón de Paredes.

fut jamais achevé. Il comprenait une grande coupole et deux tours.
Le pâté de maisons suivant, dans la même rue des Embajadores, nous montre un des rares exemplaires que conserve Madrid des dites «maisons à la malice», construites avec un seul étage sur la rue mais plusieurs à l'intérieur afin d'éviter l'obligation (imposée par décret de « régale de logement » du XVIIème siècle) de loger les gens de la Cour dans les maisons qui avaient plus d'un étage.
Revenons à la rue Ribera de Curtidores afin de la parcourir tout en visitant ses magasins, ses galeries d'antiquités et profiter de l'ambiance de la rue. A gauche, nous prendrons la rue de Mira el Sol et la rue du Sombrerete et, ensuite, nous arriverons à la populaire **Corrala de la rue Mesón de Paredes (4),** récemment restaurée et déclarée Monument National. C'est un exemplaire des maisons à corridor, la plus authentique architecture madrilène du XIXème siècle, cadre des vaudevilles populaires de Carlos Arniches et de quelques « zarzuelas », telles que « La Revoltosa », de Ruperto Chapi.
Poursuivons notre promenade à travers la rue du Sombrerete et nous atteindrons la **place de Lavapiés (5)**, centre de l'ancienne juiverie et recoin typique du quartier des « manolos » et des « manolas ». Ce quartier s'appelait ainsi car les juifs convertis avaient l'habitude d'appeler Manuel leur fils aîné. C'est ici que se trouvait la synagogue et une ancienne fontaine qui recueillait l'eau de plusieurs ruisseaux. Tournons maintenant à droite, vers la rue de Miguel Servet et nous nous trouvons devant une autre

Place de Lavapiés.

« Corrala », plus ancienne que l'antérieure avec sa charpente en bois et son limousinage.

Dans l'autre bloc se dresse le grand bâtiment de la **Manufacture des tabacs (6)**, un des rares exemplaires de l'architecture industrielle du XVIIIème siècle que l'on puisse encore admirer. Construit en 1790 pour l'élaboration de liqueurs, eaux-de-vie, cartes et papier timbré, c'est sous le règne de Joseph Bonaparte qu'on y commença la fabrication de cigares et de râpé. On y employait 800 ouvrières –nombre absolument inusuel à l'époque– qui acquirent peu à peu une grande réputation à cause de leur caractère indomptable. Elle est actuellement fermée.

Au rond-point des Embajadores, sur les terrains occupés par l'actuelle construction en brique de style néo-mudéjar, se trouvait le **Casino de la Reine**, offert par la Mairie de Madrid à Isabelle de Bragance (seconde épouse de Ferdinand VII) en tant que lieu de plaisance et duquel il ne reste que la grille extérieure.

Entrée de la Manufacture des tabacs.

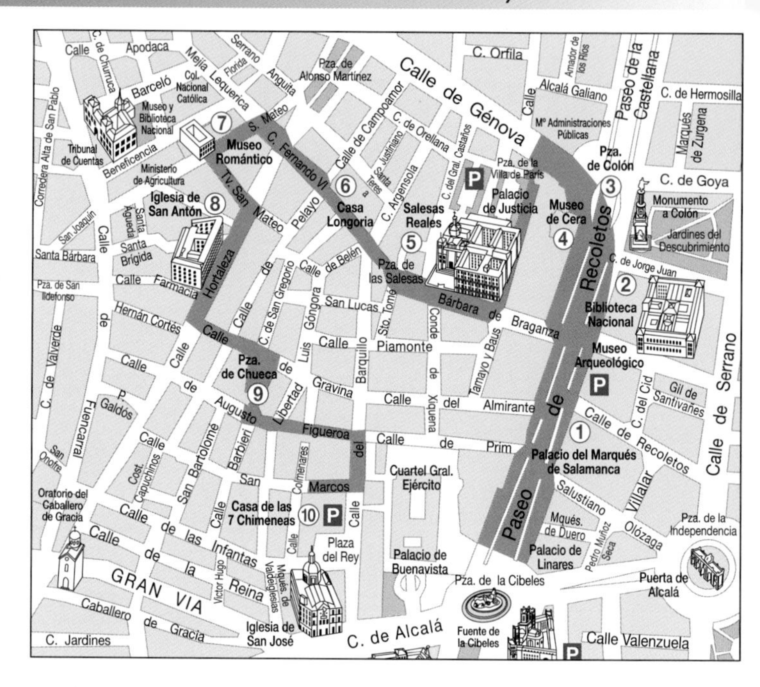

ITINÉRAIRE 9 (**) (TJ)

La zone qui s'étend sur le côté gauche de la promenade de Recoletos remonte au XVIème siècle, lorsque les premières industries artisanales s'y installèrent. Mais c'est au XIXème siècle qu'elle prend l'aspect actuel, lorsque la bourgeoisie construisit, autour des Salesas Reales et sur Recoletos, d'élégantes demeures. Le quartier des alentours de Hortalezas et de Chueca, qui recevait autrefois le nom de « chisperos » à cause des forges qui s'y trouvaient, est beaucoup plus populaire.

1.- Palais du marquis de Salamanca (*). 2.- Bibliothèque Nationale et Musée Archéologique National (***). 3.- Place de Colón (*). 4.- Musée de Cire (*). 5.- Salesas Reales (**). 6.- Maison Longoria. 7.- Musée Romantique (*). 8.- Église de saint Anton (*). 9.- Place de Chueca (*). 10.- Maison des Sept cheminées (*).

La **promenade de Recoletos** doit son nom au couvent des augustins récollets qui se dressait sur le terrain aujourd'hui occupé par le palais du marquis de Salamanca. Elle fut urbanisée au XIXème siècle, conséquence de l'agrandissement de la ville vers le nord. Conçue comme une promenade aristocratique et tranquille, ce fut l'endroit choisi par la haute bourgeoisie pour y faire construi-

Vue générale de la Promenade de Recoletos. Au premier plan, à gauche, la Bibliothèque Nationale.

Détail de la Promenade de Recoletos.

re des palais en grande partie disparus ou transformer sa fonction résidentielle en fonction financière et officielle. Cependant, malgré le grand nombre de voitures qui circule sur ses chaussées, on peut encore aujourd'hui s'y promener grâce aux jardins centraux avec leurs nombreuses terrasses, très fréquentées, surtout les soirs d'été.

Le plus important de ces bâtiments est le **palais du marquis de Salamanca (1)**, siège de la Banque des Hypothèques. Il s'agit de l'un des plus beaux palais construits par la bourgeoisie du XIXème siècle. Le marquis de Salamanca, banquier et promoteur de travaux publics durant le règne d'Isabelle II, confia sa construction à Narciso Pascual y Colomer, suivant le style néo-renaissance italien.

Avant d'arriver sur la Place de Colomb, sur la droite, nous nous retrouvons devant une énorme construction, siège de **Bibliothèque Nationale et du Musée Archéologique National (2)**, ce dernier étant accessible depuis la rue de Serrano. La construction de ce bâtiment fut entreprise en 1866 par Francisco Jareño et achevée en 1892 par Ruiz de Salces, et répond à un style propre à celui de l'époque. La Bibliothèque Nationale fut construite dans le but de remplacer l'ancienne Bibliothèque Royale fondée par Philippe V, en 1712, et possède actuellement plus de cinq millions de livres, manuscrits, incunables, brochures, images, gravures et revues. Dans son fonds nous signalerons le manuscrit du « Mío Cid » et la collection d'éditions de « El Quijote », avec plus de 3 000 exemplaires correspondants à des éditions en plus de 30 langues.

Le Musée Archéologique National fut fondé par Isabelle II en 1867 avec des fonds provenant de plusieurs institutions de la nation. Au début, il se trouvait au Casino de la Reine (au bout de la rue des Embajadores), où il resta jusqu'en 1895, date à laquelle il s'installa dans

Palais du Marquis de Salamanque, aujourd'hui le siège de la Banque des Hypothèques.

Entrée principale de la Bibliothèque Nationale.

Musée Archéologique National : la Dame d'Elche et couronnes votives de Guarrazar (Archives Photographiques, Musée Archéologique National).

Place de Colomb et Jardins de la Découverte.

les dépendances actuelles. Après de nombreuses vicissitudes, le musée fut soumis à des changements d'exhibitions et ses installations sont un modèle didactique à suivre. Ses plus de quarante salles offrent un authentique panorama des vieilles cultures de la Terre. Il possède une excellente reproduction des peintures rupestres d'Altamira et conserve, en outre, des trésors tels les trois « dames » de la sculpture ibérique –celle d'Elche, celle de Baza et celle du Cerro de los Santos–, l'ensemble des couronnes votives de Guarrazar et l'importante collection numismatique, des vases grecs

Tours de Colomb.

et étrusques, des sarcophages et des mausolées grecs et romains.
En revenant vers Recoletos, faisons un tour sur la **place de Colon (3)**, à travers les jardins de la Découverte, qui occupent le centre de la place, présidés, sur le côté oriental, par l'ensemble de grands blocs allégoriques à travers lesquels Vaquero Turcios voulut représenter la Découverte de l'Amérique. A l'angle de l'esplanade se dresse le monument à Colomb dessiné par Arturo Méli-

Monument en hommage à Colomb.

Musée de Cire : Napoléon Bonaparte et Sainte Thérèse de Calcutta avec Lady Diana (Archives Photographiques, Musée de Cire).

da, en 1885, de style néo-gothique. Les installations du **Centre Culturel de la Ville de Madrid** se trouvent au sous-sol de la place. Il est caché par un rideau d'eau et possède un auditorium, des salles d'exposition et un café. Sur un côté de la place se trouvent, depuis 1976, les **Torres de Colón**, un exemplaire de ce qui fut, à une époque, une technologie révolutionnaire d'« architecture suspendue ». C'est une réalisation d'Antonio Lamela.

Devant les tours se situe le « Centre Colomb » avec, au rez-de-chaussée le **Musée de Cire (4),** avec plus de 450 personnages historiques et célèbres, en plus de l'inquiétant « train de la terreur ». En remontant la rue de Génova, nous arriverons à la place de la Villa de Paris dont les jardins sont les seuls vestiges de ce qui fut parc de l'ensemble des édifices des **Salesas Reales (5)** que fit construire Barbara de Bragance, épouse de Ferdinand VI, dans le but d'y loger un collège de jeunes filles nobles. Les travaux furent confiés à Francisco Carlier et se réalisèrent entre 1750 et 1758 dans le style baroque monumental. Les travaux coûtèrent très cher pour l'époque. A l'intérieur de l'église se trouvent les sépulcres des deux rois, respectant ainsi leur dernière volonté, contraire à la coutume d'enterrer les membres de la famille royale au monastère de l'Escurial. A côté du couvent et de l'église on construisit un palais qui devait être résidence royale mais que la reine n'occupa jamais et qui fut reconstruit au début du XXème siècle. C'est actuellement le **Palais de Justice**. La belle grille et le perron d'entrée à l'église furent construits à cette époque.

Continuons notre promenade par la rue de Fernando VI où se situe la **maison Longoria (6)**, actuelle siège de la Socié-

Église des Salesas Reales.

Maison Longoria.

Église de San Antón.

té Générale d'Auteurs, un des rares exemplaires du modernisme à Madrid, construite en 1902 par Grases Riera pour le banquier Longoria.

Dans la rue de San Mateo nous pourrons visiter le **Musée Romantique (7)**, installé dans un palais du début du XIXème siècle. Il recueille une collection dont les fonds remontent à l'époque de Ferdinand VII et Isabelle II. La reconstruction parfaite de toute une époque historique a ici plus d'importance que la qualité des objets exposés. Nous pouvons pénétrer dans le versant le plus intime de la vie de cette époque.

La rue qui se trouve devant la porte de sortie du musée nous conduira à la rue de Hortalezas. Sur le trottoir de droite se trouve l'ensemble des **Escuelas Pías de San Antón (8)** dont l'église fut construite par Pedro de Ribera vers 1740 et qui était église d'un hôpital que Charles IV transforma en écoles régies par l'Ordre de Calasanz. Cet Ordre enleva de la façade tous les ornements baroques et la laissa pratiquement nue, à l'exception d'une statue de saint Antoine Abbé, saint en l'honneur duquel a lieu le premier pèlerinage de l'année –le 17 janvier–, durant lequel les animaux domestiques des Madrilènes sont bénis devant l'église. A l'intérieur on peut contempler une toile de Goya, réalisée durant sa vieillesse.

Sur le trottoir d'en face se dresse l'édifice de ce qui fut l'ancien **couvent de sainte Marie Madeleine**, dit aussi des « Recogidas » car on y accueillait les femmes qui avaient abandonné le droit chemin. Il ne reste pratiquement rien de la construction du XVIIème siècle.

Dans la rue de la Farmacia se trouve le siège de l'**Académie Royale de Pharmacie**, construction néo-classique de l'époque de Ferdinand VII.

En prenant la rue de Gravina, à gauche, nous arriverons à la **place de Chueca (9)**, cœur du quartier des « Chisperos », aux rues plus étroites que les

Détail de la façade de l'Académie Royale de Pharmacie.

Place de Chueca.

antérieures, aux vieux magasins modestes, aux bars de « chateo » et restaurants bon marché, quelques-uns anciens et intéressants. Tout près, à la rue de Luis de Góngora, aux numéros 5 et 7, nous pouvons admirer un autre couvent du XVIIème siècle dont il ne reste que l'intérieur de l'église pour nous rappeler sa splendeur passée. Il s'agit du **couvent des Góngoras**. Il reçoit son nom de celui du fondateur, Juan de Góngora, conseiller de Castille.

La rue de la Libertad nous conduira à la **place del Rey** qui doit son origine à une initiative de Joseph Bonaparte. L'édifice le plus ancien et singulier est celui des **Sept Cheminées (10)**, servant aujourd'hui de dépendance au bâtiment du Ministère de la Culture, et dont la première construction semble dater de 1577. C'est une réalisation de Juan Bautista de Toledo et Antonio Sillero. Son premier propriétaire connu fut Juan de Ledesma, secrétaire d'Antonio Pérez. Elle fut habitée par le marquis d'Esquilache, ministre de Charles III. Le vieux palais a connu de nombreuses idylles, des intrigues et même des histoires d'esprits et de fantômes.

Maison des Sept Cheminées.

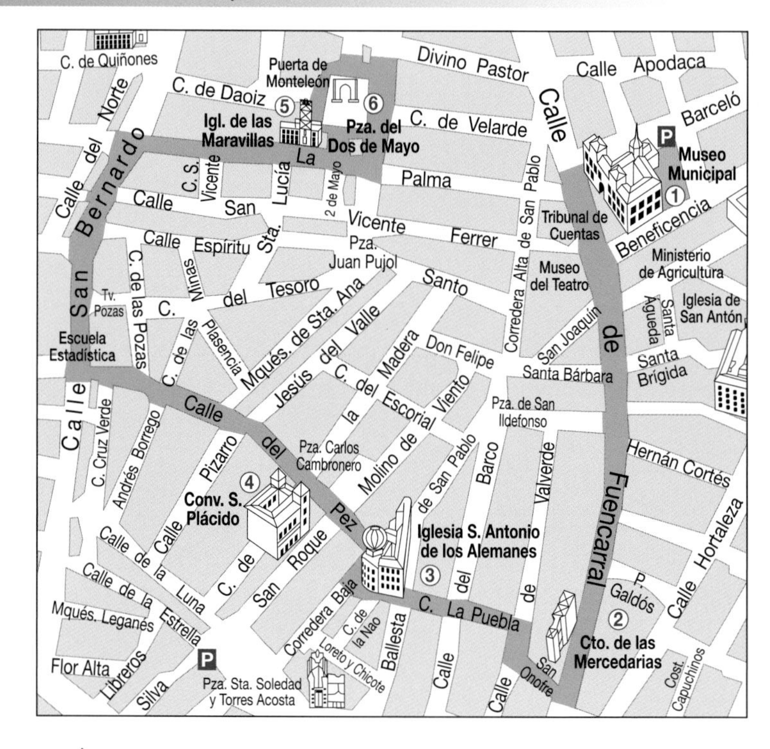

ITINÉRAIRE 10 (***) (AM)

Le parcours que nous vous proposons se trouve dans l'un des quartiers les plus typiques et populaires de la ville. Ses constructions et son urbanisme datent de la fin de XIXème siècle en grande partie mais le plus intéressant sont les anciens couvents qui s'y trouvent, vestiges des nombreux ordres religieux qui peuplaient Madrid au XVIIème siècle après le décret de Philippe II qui nommait la ville capitale du royaume.

1.- Musée Municipal (**). 2.- Couvent des Mercédaires (*). 3.- Église saint Antoine des Allemands (**). 4.- Église saint Placide (**). 5.- Église des Merveilles. 6.- Place du Deux Mai (*).

Commençons notre itinéraire à la place de Barceló afin de visiter l'ancien Hospice dont les installations accueillent les collections du **Musée Municipal (1)**. Chef-d'œuvre de Pedro de Ribera, les travaux de l'Hospice Général des Pauvres de l'Ave Maria commencèrent en 1722 et ne s'achevèrent qu'en 1799. Symbole du baroque madrilène, il possède une façade imposante qui souleva durant plus d'un siècle les fureurs des néo-classiques à cause de l'exubérante surabondance des éléments décoratifs propres de cet architecte: moulures, écussons, pans plissés, vases, fleurs... Sur la porte, une niche renferme la statue de saint Ferdinand réalisée par Juan Ron. Les fonds du musée intègrent des collections sur la préhistoire madrilène, des documents médiévaux, des maquettes d'urbanisme et de constructions d'époques différentes, des dessins d'architecture et des plans de la ville.

Les **jardins de l'architecte Ribera** entourent l'Hospice. On y trouvera le monument à Mesonero Romanos et, sous les arbres touffus, la fontaine de la Renommée, sans aucun doute l'une des plus belles de la ville, dus à l'inspiration de Pedro de Ribera. Sur un des côtés du jardin nous pouvons contempler un exemplaire de l'architecture rationaliste madrilène: l'ancien **théâtre Barceló**, oeuvre de Gutiérrez Soto.

Entrée principale du Musée Municipal.

Jardins de l'architecte Ribera et monument en hommage à Mesonero Romanos.

Fontaine de la Célébrité (Fuente de la Fama), Jardins de l'architecte Ribera.

Place de San Ildefonso.

Face à l'entrée du musée se trouve le **Tribunal des Comptes du Royaume**, institution créée au Moyen Age et dont la fonction est de contrôler la dépense publique. Le siège actuel est de Francisco Jareño, du XIXème siècle.
Derrière le Tribunal, nous prendrons la Corredera Alta de San Pablo, une des rues les plus populaires du quartier, qui nous conduira à la **place de San Ildefonso**, ornée par une gracieuse fontaine de fer avec des serpents entrelacés. L'église ne présente aucun intérêt architectural car elle a été construite sur une autre qui fut démolie sur l'ordre de Joseph Bonaparte.
Suivons maintenant la rue de Valverde dans laquelle se trouve l'**Académie Royale de Sciences exactes, Physiques et Naturelles**, qui occupe un immeuble construit au début du XIXème siècle, comme siège de l'Académie Royale de la Langue qui s'installa dans son siège actuel en 1904. L'Académie Royale des Sciences fut fondée par la reine Marie-Christine, veuve de Ferdinand VII, en 1834. On peut voir sur la façade l'emblème de la corporation.

Détail de la façade de la l'Académie Royale des Sciences Exactes, de la Physique et des Sciences Naturelles.

A l'angle de cette rue avec celle de la Puebla se trouve le **couvent des Mercédaires Déchaussées de don Juan de Alarcón (2)**, oeuvre baroque du milieu du XVIIème siècle, construite par un architecte anonyme avec le legs laissé à cet effet par la pieuse et riche María de Miranda. Son confesseur, Juan de Alarcón se chargea de faire exécuter le testament. L'église, que l'on peut visiter seulement durant la célébration de la messe du dimanche, est en croix latine avec transept recouvert par une coupole sur coquillages et un crucifix anonyme et le tableau d'Antonio Palomino « le Triomphe de la Croix ». Le couvent conserve le corps incorruptible de la béate madrilène María Ana de Jesus (1624-1664).

En suivant la rue de la Puebla, à l'angle du corridor Baja de San Pedro, nous pouvons admirer l'**église saint Antoine des Allemands (3)**, qui fut construite pour l'hôpital annexe entre 1624 et 1633. Les travaux furent dirigés par Francisco Seseña, d'après les plans de l'architecte jésuite Francisco Sánchez. La façade est le résultat d'une reconstruction de la fin du siècle dernier. Un insignifiant portail couronné par une statue de saint Antoine Abbé permet l'entrée dans un atrium sur lequel s'ouvre l'église, elliptique, recouverte par une grande voûte ovale et entièrement décorée au XVIème siècle par des fresques de Lucas Jordan et qui mettent en évidence la tutelle des rois d'Espagne à cette fondation royale. L'alliance entre le trône et l'autel joue un rôle prépondérant dans la riche décoration pictu-

Couvent des Mercédaires Déchaussées de don Juan de Alarcón.

Détail de la coupole de l'église de saint Antoine des Allemands, peinte par Francisco Rizi et Juan Carreño (XVIIème siècle).

rale de l'église. Les murs représentent les portraits de plusieurs souverains européens et des scènes de la vie de saint François de Padoue. La coupole fut décorée par Francisco Ricci y Carreño. Sur les autels latéraux nous verrons des médaillons avec les effigies des rois espagnols.

L'**hôpital du Refugio**, annexe à l'église, fut fondé en 1607 par Philippe III afin d'y accueillir les malades portugais qui étaient alors sujets de la couronne espagnole. Philippe IV le céda à la colonie espagnole de la Capitale devant la requête de Marianne d'Autriche. Au début du XVIIIème siècle, l'hôpital et son église passèrent aux mains de la Hermandad del Refugio, créée un siècle avant et qui aujourd'hui encore offre un repas gratuit à tous ceux qui le sollicitent. A cette époque la Hermandad faisait une ronde nocturne connue sous le nom «du pain et de l'œuf», durant laquelle elle distribuait ces aliments parmi les pauvres et accueillait dans son asile les malades et les mendiants. Le musée Municipal conserve quelques-unes des chaises qui servaient au transport de ces malades.

Relief de l'Annonce, sur la façade de l'église de saint Placide.

Asamblea de Madrid.

Église des Merveilles.

La rue du Pez, qui se trouve juste en face de l'hôpital, nous guidera vers l'ancien **couvent es Bénédictines de saint Placide (4)**, fondé en 1623 par Teresa Valle de la Cerda, sous le patronage de Jerónimo Villanueva, secrétaire de Philippe IV et protonotaire d'Aragon avec qui la dame avait renoncé à se marier afin de pouvoir prendre le voile. Il existe des documents qui démontrent les relations de ces personnages avec les sœurs du couvent: Philippe IV offrit le « Christ » de Velázquez au couvent en signe de repentir. On peut l'admirer aujourd'hui au musée du Prado. L'église fut construite par le frère Lorenzo San Nicolas entre 1641 et 1661. Sur sa façade simple se trouvent les blasons des Villanueva et un relief de l'Annonciation. Elle a une seule nef avec un transept à peine insinué recouvert par une coupole ornée par les emblèmes de plusieurs ordres militaires. Sur le maître-autel, une « Annonciation », de Claudio Coello ; dans la chapelle du Sacrement, des voûtes décorées par Ricci et un « Christ gisant », de Gregorio Hernández (XVIIème siècle).

En continuant la rue du Pez, nous arriverons à la rue de San Bernardo, devant le **Ministère de Justice**, ancien palais de Sonora, construit au début du XIXème siècle et remanié en 1951 en lui ajoutant les tours des angles, répondant au goût propre de l'Escurial du moment.

Sur ce même trottoir, en traversant la rue des Reyes, se trouve le siège de l'**Assemblée de Madrid**, situé dans l'immeuble qui fut construit au XVIIème siècle par les jésuites pour accueillir les novices. On y adossa une splendide église baroque vers 1650. Durant le règne de Charles III, les jésuites furent expulsés et ils ne revinrent que durant le règne de Ferdinand VII jusqu'à ce qu'en 1835, le gouvernement de Mendizábal dicta la Loi de Sécularisation des biens du clergé. En 1842, les architectes Mariategui et Pascual y Colomer adaptèrent l'immeuble pour qu'il puisse abriter l'Université Centrale et il conserva jusqu'à dernièrement son caractère pédagogique.

Traversons la rue de San Bernardo et arrivons, à travers la nue de La Palma, à l'**église des Merveilles (5)** qui, construite à l'époque de Philippe IV (1646) et remaniée plus tard, était l'église d'un couvent de carmélites déchaussées qui l'abandonnèrent au XIXème siècle. Le retable du maître-autel, de style néoclassique (oeuvre aussi de Miguel Fernandez, l'architecte qui réalisa le remaniement), est présidé par la statue de la Vierge des Merveilles qui, d'après la légende, fut portée ici par un paysan depuis un village de la province de Salamanque.

En contournant l'église nous arriverons à la **place du Deux Mai (6)**, cœur du quartier de Malasaña, lieu de rendez-vous de ceux qui, avec le beau temps, viennent prendre un rafraîchissement sur ses terrasses et célèbrent ici la fête populaire qui a lieu durant la première semaine du mois de mai. Un monument à Daoiz et Velarde rappelle les événements. La statue représente les personnages, jurant de lutter jusqu'à la défaite de l'envahisseur français. L'arc de brique situé derrière eux est tout ce qu'il reste du palais de Monteleón qui, transformé par Godoy en parc d'artillerie, joua un rôle important durant les événements de 1808. Les noms des rues qui entourent cette place rappellent les auteurs de ces faits.

Place du Deux Mai (Dos de Mayo) et monument en hommage à Daoíz et Velarde.

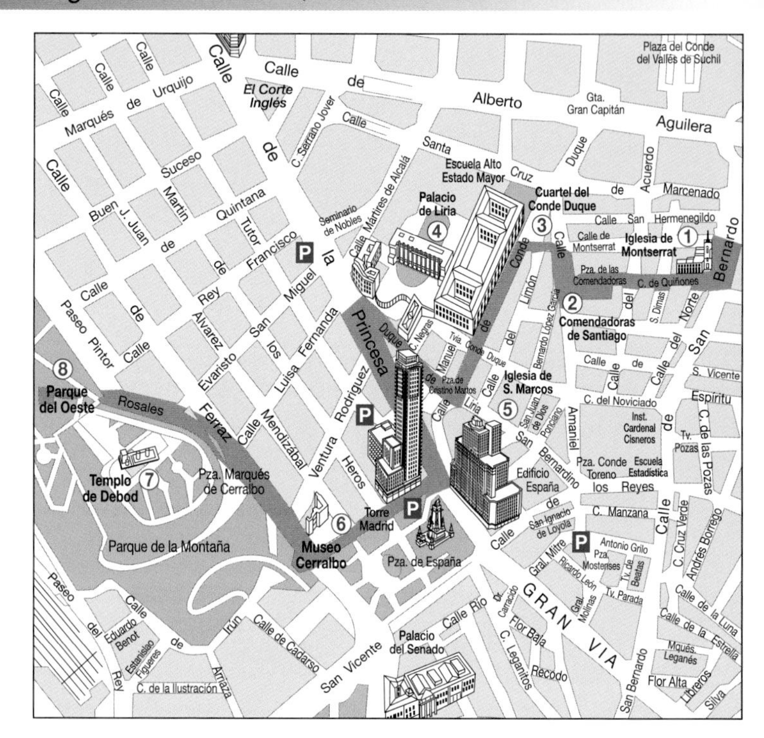

ITINÉRAIRE 11 (**) (M)

Au cours de cet itinéraire, nous visiterons différents monuments : d'intéressants édifices religieux situés dans des rues tranquilles et sur des places calmes; d'importantes collections artistiques privées et les parcs qui forment une plate-forme verte dans la zone ouest de la ville.

1.- Église de Montserrat (*). 2.- Comendadoras de Santiago (**). 3.- Caserne du Comte-duc (*). 4.- Palais de Liria (**). 5.- Église saint-Marc (*). 6.- Musée Cerralbo (**). 7.- Temple de Debod (*). 8.- Parc de l'Ouest (*).

Nous commencerons notre parcours au rond-point de Ruiz Jiménez et, en suivant la rue de San Bernardo, nous arriverons devant la façade baroque de l'**église de Montserrat (1)** dont la construction commença en 1634 sur l'ordre de Philippe IV afin d'accueillir les sœurs bénédictines d'origine castillane qui fuirent du monastère de Montserrat au début de la guerre de Catalogne. L'église fut projetée par Herrera Barnuevo mais les travaux ne s'achevèrent jamais. On ne construisit donc qu'une seule des tours projetées et il

Église de Montserrat.

n'existe ni transept ni coupole. La façade fut achevée au XVIIIème siècle, par Pedro de Ribera, avec les ornements typiques de son style particulier, la statue de saint Benoît et la magnifique tour couronnée par un chapiteau original.
La rue Quiñones, qui borde l'église, nous permettra d'arriver à l'**église** et au **couvent des Comendadoras de Santiago (2)**, construits avec le legs que laissa à cet effet le président des Ordres militaires, Diego de Zapata, bien que les travaux ne commencèrent qu'en 1668, sous la régence de Marianne d'Autriche. Le couvent fut remplacé, cent ans plus tard, par une autre construction réalisée par Sabbatini. On conserva cependant l'église primitive,

Église des Comendadoras de Santiago.

Entrée principale de la caserne du Comte-duc.

Détail de la façade du Palais de Liria.

oeuvre de Manuel et José del Olmo. Les chevaliers de Santiago s'y réunissent encore en chapitre. Un grand nombre de symboles font allusion à ce saint: des étendards de bataille, la devise « Santiago y cierra España », sa statue sur le maître-autel et sur la façade de l'église. L'intérieur, en croix grecque couronnée par une grande coupole, avec des chapelles latérales recouvertes avec des coupoles en demi-orange, est l'un des plus beaux et plus harmonieux exemplaires de tous ceux que nous pourrons voir du baroque à Madrid, par la symétrie de ses proportions. Il ne faut pas oublier de visiter la sacristie, magnifique réalisation de l'architecte Francisco Moradillo.

En prenant la petite ruelle du Christ, nous déboucherons sur l'agréable place des Gardes du Corps, face à la façade de la **caserne du Comte-duc (3)**, construite pour loger le Corps de Gardes du corps, sur l'ordre de Philippe V en 1720 par Pedro de Ribera, sur le terrain autrefois occupé par le palais du comte-duc. L'architecte réalisa un énorme édifice formé par un rectangle qui se structure autour de trois cours, la centrale étant la plus grande. Construit en brique, avec une grande simplicité décorative, remarquons la façade en pierre décorée avec une profusion de drapeaux, écussons et trophées militaires. Elle est aujourd'hui le siège de la Bibliothèque Municipale et plusieurs de ses salles servent de salles d'expositions.

Faisons le tour de la caserne et descendons vers la rue de la Princesa afin de nous arrêter un moment devant le **palais de Liria (4)** qui (entouré par un magnifique jardin qui nous empêche d'apprécier, depuis l'autre côté de la grille, la belle façade néo-classique) est, sans aucun doute, le plus bel exemplaire madrilène de résidence noble. Sa construction commença en 1773, sur l'ordre de Jocobo Stuart Fizt-James, troisième duc de Berwick et Liria, marié à une sœur du duc d'Alba, d'après le projet de Sabbatini et Ventura Rodríguez. La résidence, qui appartient à la

Maison d'Alba, réunit une importante collection de chefs-d'œuvre, visible uniquement sur rendez-vous.

En prenant la rue de la Princesa vers la place d'España, nous tournerons à gauche, dans la rue de San Leonardo, afin de visiter la magnifique **église saint-Marc (5)**, une des meilleures réalisations de l'architecte Ventura Rodríguez et de la dernière époque du baroque madrilène. Elle fut construite entre 1749 et 1753 en souvenir de la victoire des troupes de Philippe V devant celles de l'archiduc Charles à la bataille d'Almansa, le jour de la saint Marc. La façade rappelle celle de certaines églises romanes dans l'ensemble que forment les hauts piliers couronnés par un fronton triangulaire et des corps concaves sur les côtés. Elle est formée par plusieurs ellipses successives dont la plus grande est recouverte par une rotonde qui soutient la coupole décorée de peintures de Luis Velázquez. Juan Pascual de Mena, Roberto Michel et Felipe Castro sont les auteurs de la décoration sculpturale: le maître-autel avec la statue de saint Marc, les autels latéraux et les chapiteaux ornés du lion, symbole de l'évangéliste.

Église de San Marcos.

Perspective générale de la rue de la Princesse.

Musée Cerralbo: Salle de Billard et Escalier d'Honneur (Photos, Musée Cerralbo).

Dirigeons-nous à présent vers la rue Ventura Rodríguez afin d'y visiter le **Musée Cerralbo (6)**, où est exposée, dans les magnifiques salles de ce palais, construit dans ce but à la fin du XIXème siècle, une extraordinaire collection, tous thèmes confondus, réunie par le marquis de Cerralbo tout au long de sa vie.

Nous accédons ensuite aux jardins de la montagne du Príncipe Pío depuis lesquels nous pourrons contempler un magnifique panorama de la Casa de Campo et du parc de l'Ouest. C'est sur cette colline que se trouvait le palais du prince Pío de Savoie et ensuite, à partir de 1860, la caserne de la Montaña. C'est ici aussi qu'eurent lieu les exécutions du 3 mai 1808 et représentés ensuite sur une toile de Goya exposée au musée du Prado. Le **temple de Debod (7)** se trouve dans ces jardins. Il fut donné par le gouvernement égyptien en reconnaissance à l'aide prêtée par les archéologues espagnols au cours de la mission de l'UNESCO pour la sauvegarde des monuments de la vallée de Noubia qui fut couverte par les eaux du barrage d'Assouan. Le temple date du IVème siècle av. J.-C. et il fut construit par le pharaon Azekheramon en honneur du dieu Amon.

Nous pourrons mettre fin à notre parcours en visitant la promenade de Rosales qui commence ici et qui aboutit au **parc de l'Ouest (8)**, jardin d'une grande beauté recouvert de nombreuses espèces. Dans le quartier de la Rosaleda, un téléphérique nous permet d'accéder au centre de la Casa de Campo.

Temple de Debod et Parc de l'Ouest.

12. Promenade de la Castellana

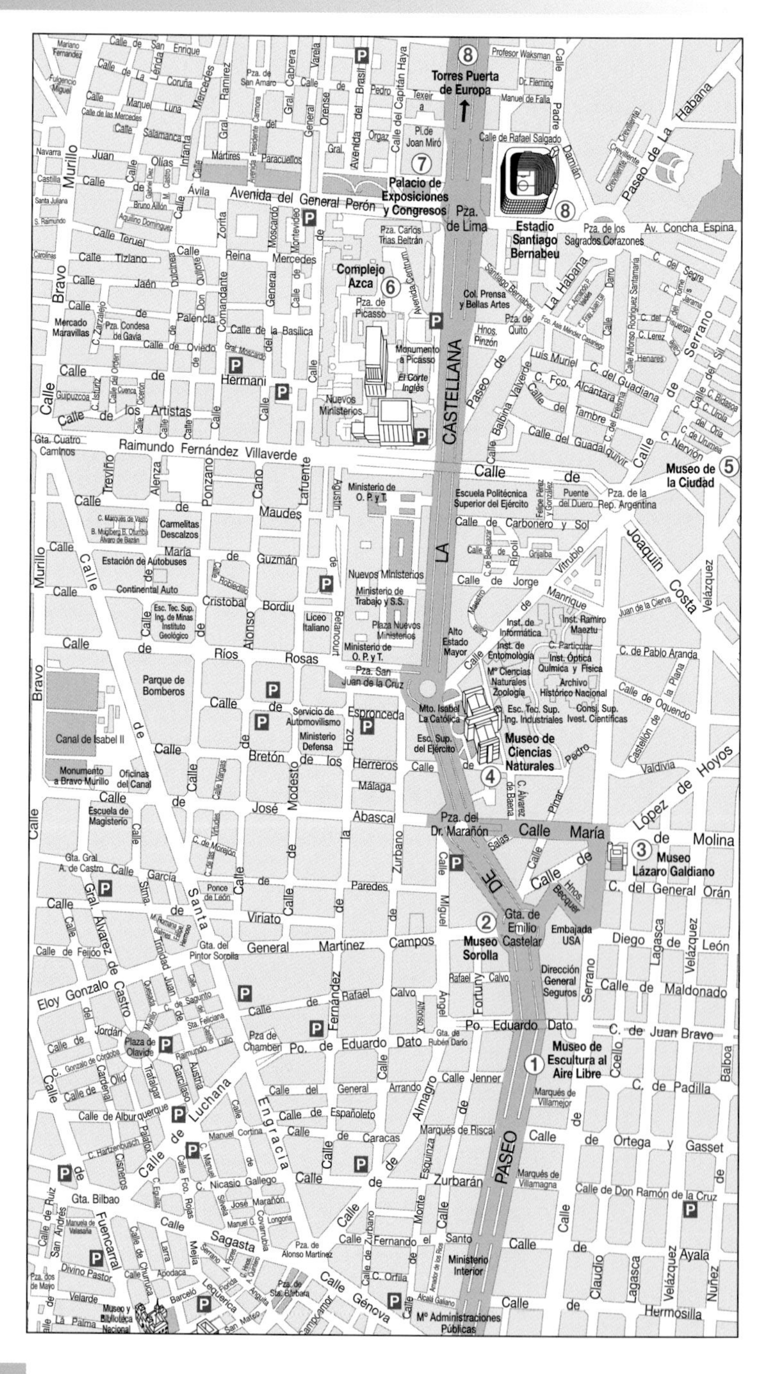

ITINÉRAIRE 12 (*) (M)

La Castellana constitue la colonne vertébral de Madrid en direction nord-sud. Il y a encore quelques années, un grand nombre de palais et de maisons seigneuriales, construites à la fin du XIXème siècle, la parcouraient. Bon nombre d'entre eux ont disparu pour laisser place, par prédilection, à l'installation de banques et d'entreprises, où ces dernières ont fixé leurs sièges commerciaux, dans des bâtiments suivant les dernières tendances archéologiques. De plus, c'est dans cette zone que se trouve la plupart des organismes administratifs de l'État.

1.- Musée de Sculptures au grand air (*). 2.- Musée Sorolla (**). 3. Musée de la Fondation Lázaro Galdiano (**). 4. Muséum National de Sciences naturelles (**). 5. Musée de la Ville (*). 6.- Complexe AZCA (*). 7.- Palais des Expositions et des Congrès (*). 8.- Stade Santiago Bernabeu (*). 9.- Tours Porte d'Europe (*).

L'urbanisation de **La Castellana** commença à l'époque de Ferdinand VII et cet ancien ravin devint très rapidement le lieu de résidence de l'aristocratie et de la haute bourgeoisie madrilènes. Son nom primitif était promenade Nuevo de las Delicias de la Princesa, en honneur à Isabelle II, héritière de ce monarque. Elle doit son nom actuel à la fontaine Castellana qui se trouve aujourd'hui au rond-point d'Emilio Castelar. Elle devint promenade à la mode au milieu du XIXème siècle grâce à l'initiative de la duchesse de Medinaceli dont le palais se trouvait sur les terrains aujourd'hui occupés par le Centre Colón. Un peu plus au-dessus de la place de Colomb, nous trouvons le centre d'intérêt de l'itinéraire, le **musée de Sculptures au grand air (1)** situé sous le passage élevé qui relie la promenade du Cisne à la rue de Juan Bravo et où nous pourrons contempler des oeuvres de l'avant-garde sculpturale espagnole: Julio González, Manuel Rivera, Andrés Alfaro, Eusebio Sempere, Eduardo Chillida et Joan Miró entre autres.

Continuons notre promenade sur La Castellana tout en contemplant les immeubles qui, les uns aux côtés des autres, sont un échantillon des dynasties architecturales des trente dernières années. Nous arriverons ainsi à la **place de Emilio Castelar** dont le monument, réalisé par Mariano Benlliure, fut érigé après une souscription populaire et inauguré en

Musée de Sculpture au Grand Air.

« Autoportrait » de Sorolla.
(Archives Photographiques, Musée Sorolla).

Perspective de la Castellana avec le Complexe Azca.

1908. Il représente le grand orateur écouté par la muse de l'Éloquence, Cicérone, Démosthène et trois personnages qui représentent le peuple: un étudiant, un ouvrier et un militaire.
Nous prenons ensuite à gauche, vers la Promenade du Général Martínez Campos afin de visiter le **Musée Sorolla (2)**, installé dans la maison qui servait d'atelier au célèbre peintre valencien, et dans lequel il exposait un éventail important de ses œuvres et de celles de ses amis peintres. Un autre musée intéressant se situe au numéro 122 de la rue Serrano. Il s'agit du **Musée de la Fondation Lázaro Galdiano (3)**, véritable joyau culturel qui abrite une très intéressante collection de chefs-

Deux aspects du petit palais de la Fondation Lázaro Galdiano.

d'œuvre. L'édifice est un très joli petit palais de style italien construit en 1903 et qui était la résidence de José Lázaro Galdiano qui fit don de sa collection à l'État espagnol.

Revenons à La Castellana et, derrière les jardins qui se trouvent sur la droite, il y a le **Muséum National de Sciences naturelles (4)**, construit en 1881 par Fernando de la Torriente en tant que palais de l'Industrie et des Arts. L'architecture du bâtiment combine le style néo-mudéjar avec des éléments classiques tels des arcs, des piliers, des corniches et une coupole. Le désir de créer un muséum de Sciences naturelles remonte au XVIIIème siècle; durant le règne de Ferdinand VI le Cabinet royal de Sciences naturelles fut conçu. Il fut postérieurement enrichi par Charles III qui

Musée National des Sciences Naturelles.

fit construire à cet effet un édifice au Prado de San Jerónimo. Cet édifice reçut finalement une pinacothèque (l'actuel musée du Prado) alors que les collections d'Histoire Naturelle s'installaient successivement au palais Goyeneche (Académie Royale des Beaux-arts de San Fernando) et au rez-de-chaussée de la Bibliothèque Nationale jusqu'à leur déménagement définitif aux installations actuelles.

La hauteur de la façade du musée de Sciences naturelles nous permettra de contempler une belle vue de La Castellana et des jardins avec leur fontaine et les **monuments à Isabelle la Catholique et à la Constitution**. Nous voyons aussi la fontaine de Carles Buhigas, au centre de la promenade, et a côté de la place San Juan de la Cruz, les Nouveaux Ministères et le bâtiment du Haut État Major. Ce promontoire était autrefois connu sous le nom de « Altos del Hipódromo ». Les Madrilènes s'y rendaient pour contempler le défilé des carrosses et des voitures des aristocrates qui se dirigeaient vers les courses de chevaux de l'ancien hippodrome.

Derrière le musée se trouve la **Résidence des Étudiants**, construite en 1915 sous le patronage et dépendance de l'Institution libre d'enseignement et qui devint, durant les années suivantes, un centre culturel et scientifique qui répondait aux exigences de l'avant-garde pédagogique de cette institution. Le bâtiment originel existe encore, au bout de la rue du Pinar (que Juan Ramón Jiménez baptisa « Colina de los Chopos »). Il reçut Federico Garcia Lorca, Miguel de Unamuno, Luis

Monument en hommage à Isabelle la Catholique.

Place de San Juan de la Cruz et les Nouveaux Ministères.

Buñuel, Rafael Alberti, Jorge Guillén, Antonio Machado, Salvador Dalí et Gabriel Celaya. Il ouvrit ses portes à des conférenciers de prestige, comme Bergson, madame Curie, Louis Aragon, H.G. Wells, Einstein, Keynes, Gropius, Marinetti, Le Corbusier et tant d'autres dont les idées pénétrèrent dans les terrains de la science et de la culture de notre pays à travers cet important centre. On essaya plus tard de poursuivre cette tradition en créant le Conseil supérieur de recherches scientifiques et on profita de ce bâtiment et on en construisit de nouveaux.

Ce secteur de la rue de Serrano jusqu'à la place de la República Argentina est bordé de villas qui forment la cité Résidentielle, construite d'après les normes de Gropius, Taut et Mendelsohn qui dominaient en Europe. On construisit plus tard, en suivant les mêmes normes, la cité du Viso qui s'étend tout au long de la rue de Serrano, de la place déjà mentionnée à la rue de Concha Espina. De même, non loin de la place de la République Argentine, numéro 32 de la rue Prince de Vergara, se trouve le **Musée de la Ville (5)**, d'un grand

Place de San Juan de la Cruz : sculpture « Main », de Fernando Botero.

Vue du Complexe Azca avec la Tour d'Europe, de forme circulaire et comptant 31 étages.

La Tour Picasso est le bâtiment le plus haut du Complexe Azca : il compte 43 étages et atteint 150 mètres de haut.

Complexe Azca.

intérêt pour ceux qui aiment approfondir leurs connaissances en matière d'histoire de la ville.

Revenons à l'axe vertébral de La Castellana et arrivons au carrefour de Joaquín Costa pour contempler, à gauche, la grande esplanade horizontale occupée par les **Nouveaux Ministères** qui doivent leur naissance au besoin de promouvoir la croissance de la ville vers le nord. On démolit l'ancien hippodrome afin de pouvoir réaliser le projet des architectes Zuazo et Jansen. Les immeubles furent inaugurés en 1958 par le Ministère des Travaux publics. On suivit le projet originel en général mais en introduisant l'importante modification de remplacer la construction en brique par celle en granit, beaucoup plus en accord avec les goûts de l'époque. La monumentalité de l'ensemble est caractéristique. Signalons les arcades qui séparent la zone piétonnière de La Castellana et les jardins intérieurs.

À côté se trouve le **complexe AZCA (6)**, grand pâté de maisons fait de gratte-ciel et d'immeubles commerciaux privés, siège des principales banques, compagnies et commerces. Les origines du projet remontent à 1929 mais c'est en 1954 que sa création fut définitivement établie. On pensait tout d'abord réaliser une construction néo-herrérienne qui ne fit pas tache aux côtés des Nouveaux Ministères. Après des modifications successives on décida de bâtir une ligne périphérique avec un grand espace ouvert à l'intérieur comprenant des parcs et des jardins. Actuellement, « AZCA » est un grand centre commercial avec des grands magasins, des galeries commerciales, des boutiques, des restaurants, des demeures résidentielles et des appartements. À l'intérieur, plus petit que ce qui avait été pensé,

Palais des Congrès et des Expositions.

Stade de football Santiago Bernabeu.

Place de Castilla et les Tours Porte d'Europe.

il y a des petits jardins dédiés à Picasso, des zones de promenade, des galeries couvertes, etc. qui séparent la zone piétonnière de celle de circulation de véhicules.

Sur le tronçon suivant de la promenade nous voyons, à gauche, le **palais des Congrès et des Expositions (7)**, œuvre de l'architecte Pablo Pintado de 1964, décoré par une grande peinture murale de Joan Miró réalisée en 1970, et sur la droite, le siège du Real Madrid CF, le **stade de football Santiago Bernabeu (8)**, inauguré en 1947.

Plus au nord, proche de la place de Castille, se dessine les imposantes silhouettes desdites **Tours Porte d'Europe ou Tours Kio (9)**, deux grandes tours de verre inclinées vers l'intérieur de la promenade. Après la Place Castilla, à droite, la **Gare Chamartin** nous attend. C'est la plus importante de Madrid. On divise au loin quatre gratte-ciels construits entre 2004 et 2009 et qui sont actuellement les plus hauts d'Espagne. **Cuatro Torres Business Area (CTBA)**, nom donné à ce nouveau centre d'affaires, est formé par la **Tour Caja Madrid**, de 250 mètres de haut et 45 étages a été dessiné par l'architecte britannique Sir Norman Foster ; la **Tour Sacyr Vallhermoso**, de 236 mètres de haut et 52 étages, dessinée par les architectes espagnols Carlos Rubio Carvajal et Enrique Alvárez-Sala Walter, qui intègre un hôtel ; la **Tour de Verre**, 249 de haut et 45 étage (plus 6 étages souterrains), dessinée par l'architecte argentin César Pelli et la **Tour Espace**, 224 mètres de haut et 56 étages (plus 6 étages souterrains), dessiné par l'équipe Pei, Cobb Fredd and Partners, de New York, qui est certainement la plus spectaculaire.

Quatre Tours Business Area (CTBA).

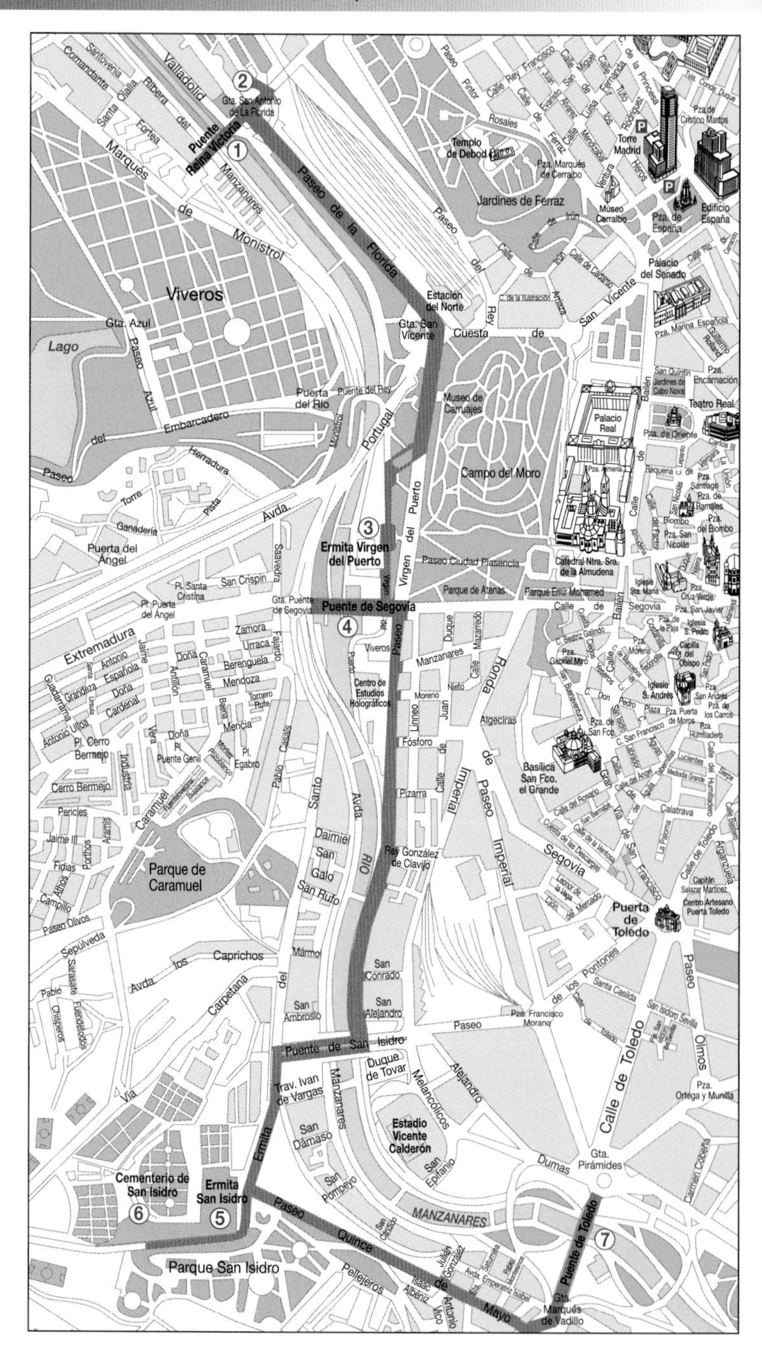

Puente Reina Victoria
Gta. San Antonio de La Florida
Paseo de la Florida
Valladolid
Ribera del Manzanares
Marqués de Monistrol
Viveros
Gta. Azul
Lago
Paseo Azul
Paseo del Embarcadero
Herradura
Torre
Ganadería
Pista
Puerta del Ángel
Avda. Portugal
Puerta del Río
Puente del Rey
Estación del Norte
Gta. San Vicente
Cuesta de San Vicente
Templo de Debod
Rosales
Pza. Marqués de Cerralbo
Jardines de Ferraz
Museo Cerralbo
Pza. de España
Edificio España
Torre Madrid
Palacio del Senado
Museo de Carruajes
Campo del Moro
Paseo Virgen del Puerto
Palacio Real
Teatro Real
Pza. de Oriente
Catedral Ntra. Sra. de la Almudena
Paseo Ciudad Plasencia
Parque de Atenas
Parque Emir Mohamed
Calle de Segovia
Ermita Virgen del Puerto
Gta. Puente de Segovia
Puente de Segovia
Centro de Estudios Holográficos
Extremadura
San Crispín
Pl. Santa Cristina
Pl. Puerta del Ángel
Zamora
Urraca
Berenguela
Mendoza
Ronda de Segovia
Gran Vía de San Francisco
Basílica San Fco. el Grande
Paseo Imperial
Cerro Bermejo
Parque de Caramuel
Avda. los Caprichos
Carpetana
Vía Carpetana
Santo
Avda. del Manzanares
Rey González de Clavijo
Puerta de Toledo
Centro Artesano Puerta Toledo
Paseo de los Pontones
Pza. Francisco Morano
Paseo Olmos
Calle de Toledo
Pza. Ortega y Munilla
Puente de San Isidro
Trav. Ivan de Vargas
Duque de Tovar
Melancólicos
Alejandro
Estadio Vicente Calderón
Dumas
Gta. Pirámides
MANZANARES
Cementerio de San Isidro
Ermita San Isidro
Parque San Isidro
Paseo Quince de Mayo
Pellejeros
Puente de Toledo
Gta. Marqués de Vadillo

ITINÉRAIRE 13 (*) (AM)

Nous vous proposons maintenant une promenade sur les rives du Manzanares, le fleuve qui n'aurait jamais pu imaginer que c'est sur les bords de son lit que naîtrait Madrid pour y chercher, tout au long de l'histoire, des lieux de chasse, de l'eau pour ses lavoirs ou, plus simplement, la fraîcheur pour les fêtes qui rassemblaient les gens dans les ermitages qui le jalonnent. Un Manzanares qui, se moquant des plaisanteries littéraires sur son manque d'eau, a de magnifiques ponts qui ornent son passage.

1.- Pont de la Reina Victoria. 2.- Ermitage de saint Antoine de la Florida (**). 3.- Ermitage de la Vierge du Port (*). 4.- Pont de Segovia (*). 5.- Ermitage de saint Isidore. 6.- Cimetière de saint Isidore. 7.- Pont de Toledo (*).

Le point de départ est le rond-point de San Antonio de la Florida. Nous pouvons contempler ici le fleuve qui est né à la sierra de Guadarrama et qui, après avoir traversé la ville de Manzanares el Real, à laquelle il doit son nom, se repose au barrage de Santillana pour traverser ensuite la mon-

Fleuve Manzanares.

Pont de la Reine Victoria.

tagne et le village de El Prado et arriver enfin à Madrid. C'est là que se trouve le **pont de la Reina Victoria (1)** qui sert de communication avec la cité de San Antonio de la Florida. Dessiné en 1912 par Eugenio Rivera, il est formé par un seul arc en forme de parabole, construit en béton avec de légers parapets de fer décorés de motifs modernistes.

En revenant au rond-point, nous nous rapprocherons de l'**ermitage de saint Antoine de la Florida (2)** qui fut construit durant le règne de Charles IV par Felipe Fontana en style néo-classique. Les fresques qui décorent son intérieur, réalisées en 1798 par Francisco de Goya sont très importantes. Le peintre représente sur la coupole un des miracles de saint Antoine en utilisant des techniques d'avant-garde. Cette

Ermitage de saint Antoine de la Florida: Portail principal de l'ermitage et détail de la coupole, peinte par Goya.

décoration figure parmi ses oeuvres les plus impressionnantes. En 1919 les restes de l'artiste furent inhumés dans cet ermitage qui est depuis lors le panthéon de ce peintre génial. C'est aussi un musée et le culte à été déplacé à un ermitage jumeau qui fut construit en 1928 afin de mieux préserver ce chef d'œuvre.

La promenade de La Florida nous mènera jusqu'au rond-point de San Vicente et en prenant la promenade de la Virgen del Puerto nous descendrons jusqu'à l'**ermitage de la Vierge du Port (3)**, situé sur un terrain bas, près du fleuve. Il fut construit en 1718 sur l'ordre du marquis de Vadillo, corregidor de la ville, pour que les lavandières qui travaillaient sur les rives du Manzanares puissent assister à la messe. Son architecte, Pedro de Ribera, la dessina suivant le style baroque madrilène qui caractérise son oeuvre, tout en lui ajoutant des touches originales dans le traitement de la partie extérieure avec une prédominance totale de surfaces lisses et, à l'intérieur, d'un dessin centralisé et une coupole encadrée à l'extérieur par un grand chapiteau. Aujourd'hui encore

Ermitage de la Vierge du Port.

Pont de Ségovie. Au fond, le Palais Royal et la Cathédrale de l'Almudena.

elle est le but de nombreux pèlerinages populaires.
Tout en suivant le cours du fleuve, nous nous rendrons au pont le plus ancien de Madrid: le **pont de Segovia (4)** qui fut construit par Philippe II car, ayant établi la capitale d'Espagne à Madrid, il voulait l'embellir en lui donnant des constructions dignes. C'est dans ce but qu'il confia ce projet à son architecte Juan de Herrera qui dessina, en 1582, un solide pont austère sans autre décoration que le rythme renaissance de ses arcs et les typiques boules herrériennes sur les parapets. Depuis le pont nous pourrons admirer l'une des plus jolies vues de la ville avec le Palais Royal et la cathédrale de l'Almudena dominant depuis son tertre.
En revenant sur nos pas, à la promenade de la Virgen del Puerto, nous nous dirigerons vers le fleuve afin de le traverser par l'actuel **pont de saint Isidore** qui remplace l'ancien bac qui permettait de se rendre sur la rive droite du Manzanares afin d'assister aux kermesses de la prairie de San Isidro.
Près du fleuve nous pouvons voir le **stade Vicente Calderón** du club de football «Atlético de Madrid».
En suivant la promenade de l'Ermita del Santo nous arrivons à l'**ermitage de saint Isidore (5)**, situé sur ce qui

Stade de football Vicente Calderón. ▶

Ermitage de saint Isidore.

furent les terres de labour que saint Isidore exploitait et sur lesquelles, d'après la légende, il fit jaillir une source en frappant un rocher avec son aiguillon. Depuis lors, l'eau de cette fontaine est considérée miraculeuse et on lui attribue un grand nombre de propriétés curatives. Les Madrilènes se rendirent très vite à cette source afin de prier et de boire cette eau, ce qui entraîna la construction d'un petit oratoire. En 1528, l'impératrice Isabelle y fit construire, en remerciement pour la guérison de fièvres que pâtissaient l'empereur Charles et son fils Philippe II, un nouvel ermitage qui fut agrandi et reconstruit en 1725, lui donnant son aspect actuel. Aujourd'hui, après la dernière restauration effectuée en 1979, il réunit autour de lui un grand nombre de Madrilènes qui se rendent à la kermesse du 15 mai autour de la fête de saint Isidore, patron de Madrid.

Le **Cimetière de saint Isidore (6)** lui est adossée. C'est le cimetière le plus ancien de la ville. Il fut inauguré en 1811 bien qu'il a été ensuite agrandi. Il conserve de très belles sépultures avec les tombeaux de personnages célèbres de l'histoire d'Espagne. Juste en face, un monument moderne nous rappelle que sur cette partie de la colline de San Isidro eurent lieu les fouilles paléolithiques les plus importantes d'Europe et qui donnèrent des vestiges de faune et des objets qui se trouvent au musée Municipal.

En tournant le dos à l'ermitage, nous nous dirigerons vers la promenade Quince de Mayo au rond-point du mar-

Pont de Tolède.

quis de Vadillo où commence le monumental **pont de Tolède (7)**. Il fut construit durant le règne de Philippe V mais le véritable promoteur en fut le marquis de Vadillo, corregidor de Madrid de 1715 à 1729, qui comprit l'importance de remplacer le vieux pont en bois qui traversait le fleuve dans cette zone tellement fréquentée car c'était la porte d'entrée des marchandises qui arrivaient de La Mancha à Madrid. Les travaux furent confiés à l'architecte Pedro de Ribera qui le réalisa suivant son style baroque particulier, en granit et avec neuf arcs semblables. Sur l'arc central se dressent deux beaux petits temples face à face avec les statues de saint Isidore et de sainte Marie de la Cabeza, sculptées par Juan Ron.

Niche de saint Isidore, sur le Pont de Tolède.

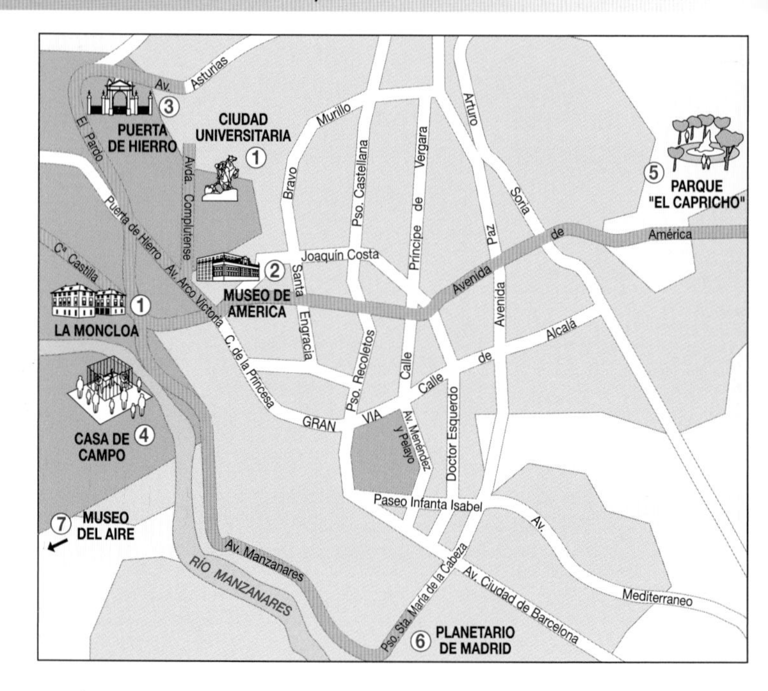

ITINÉRAIRE 14 (*)

Celui-ci n'est pas un itinéraire comme les autres car il recueille certains monuments et des recoins de la ville éloignés du centre. Nous vous limiterons donc à expliquer les caractéristiques principales des endroits que nous allons visiter et des monuments et des événements les plus importants qui leur correspondent. La situation de ces endroits nous oblige à avertir qu'il vaut mieux disposer d'un véhicule afin de pouvoir combiner le plaisir de la promenade à pied avec la visite complète des endroits proposés.

1.- La Moncloa et la Cité Universitaire (*). 2.- Musée d'Amérique (**). 3.- Puerta de Hierro (*). 4.- La Casa de Campo (*). 5. Parc « El Capricho » (**). 6.- Planétarium de Madrid (*). 7.- Musée de l'Air (**).

On accède à la zone de **La Moncloa** et de la **Cité Universitaire (1)** au bout de la rue de la Princesse, par l'**Arc de la Victoire**, construit après la guerre civile d'après le projet de Modesto López Otero. À ses cotés se dresse le dit **Phare de la Moncloa**, tour d'architecture moderne qui nous fait profiter de grands panoramas de la ville et de ses alentours. Très près aussi, sur l'avenue des Rois Catholiques, numéro 6, est situé le **Musée d'Amérique (2)**, où est expo-

L'Arc de la Victoire et le Phare de la Moncloa.

Musée d'Amérique : pièce dudit Trésor des Quimbaya et un exemple de collection d'archéologie précolombienne (Photos : Musée d'Amérique, Madrid).

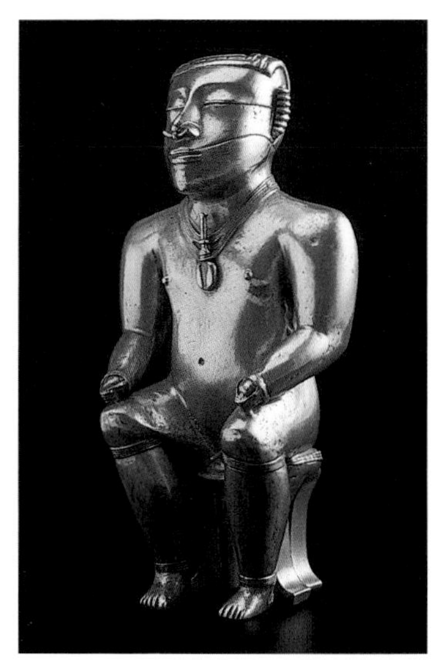

Porte de Fer.

sée l'une des plus complètes collections mondiales d'art précolombien, composée de pièces aussi extraordinaires que celles du Trésor des Quimbaya, provenant de Colombie, ou l'Ancien Manuscrit Tro-Cortésien, le plus important des manuscrits mayas resté intact.

La **Cité Universitaire** fut urbanisée au début du XXème siècle sur le modèle des campus américains, sous la direction du roi Alphonse XIII en personne, qui céda les terrains dans ce but. Elle a pour axe principal l'avenue Complutense, autour de laquelle se trouvent les différentes facultés, terrains sportifs et collèges principaux, tous entourés de plaisants jardins.

Tout près se dresse le **palais de La Moncloa**, résidence officielle du président du Gouvernement. C'est là que se dressait le petit palais que fit construire la duchesse Cayetana de Alba et qui devint, à sa mort, propriété de la couronne. Joseph Bonaparte, Marie-Christine de Bourbon et Isabelle II y vécurent et il fut aussi utilisé par plusieurs chefs du Gouvernement. L'édifice actuel fut inauguré en 1955 et fut, jusqu'en 1977, la résidence officielle des chefs d'état étrangers en visite en Espagne. Il est depuis lors le siège de la Présidence du Gouvernement.

La **Puerta de Hierro (3)** (Porte de Fer) est située à la sortie de Madrid, près de la route de La Corogne, elle doit son existence à la tentative d'essayer de fermer de façon efficace la réserve de chasse du Prado avec un grand mur en brique commandé par Ferdinand VI. Francisco Nangle (ingénieur), Juan Domingo Olivieri (sculpteur), Francisco Moradillo (architecte) et Francisco Barranco (forgeron) participèrent à sa construction qui fut achevée en 1753.

Lac de la Maison de Campagne.

La **Casa de Campo (4)** (Maison de Campagne) est le plus grand parc de Madrid, 1747 hectares, avec une conformation naturelle et une végétation typique de forêt méditerranéenne. Son origine remonte à l'époque de Philippe II qui acheta ces terrains pour en faire la réserve royale de chasse. Elle passa aux mains de la municipalité en 1931, lorsque la Seconde République la donna au peuple de Madrid. Elle compte actuellement avec des zones urbanisées pour l'installation de centres de distraction comme le **parc zoologique**, le **parc d'attractions**, l'**enceinte de la foire** (avec le palais de Cristal et des pavillons pour la célébration de foires d'expositions) et de nombreuses guinguettes situées près du lac sur lequel on peut faire de belles promenades en barque. Le **Parc El Capricho (5) (Parc Le Caprice)** se situe près de la route de

Ours panda, au Parc Zoologique.

la Alameda de Osuna, proche de l'avenue d'Amérique. Il fait partie du grand centre de loisirs acquis par les ducs d'Osuna, en 1783. Outre le parc, d'aspect sauvage, qui, avec les ruines et plusieurs constructions donne à l'ensemble un air romantique, il y a aussi un palais et plusieurs pavillons et dépendances disséminés dans la propriété. Le

Parc d'Attractions.

Petit Temple dédié à Baco, Parc Le Caprice (El Capricho).

Planétarium de Madrid.

palais fut construit à la fin du XVIIIème siècle mais la façade que nous contemplons aujourd'hui est de Martin López Aguado et date de 1835. Le parc possède un grand étang central, un canal navigable et de nombreuses statues et fontaines qui servent d'environnement aux constructions qui l'émaillent comme le pavillon de bal (œuvre d'Antonio López Aguado, en 1815), le beau petit temple circulaire avec des colonnes dédié à Bacchus, le pavillon d'apiculture, la maisonnette de la grand-mère, celle de l'ermite, la forteresse militaire, etc. Tout l'ensemble de El Capricho respire un air néo-classique qui rejoint les goûts de son époque, pratiqués fidèlement par la duchesse d'Osuna, une des femmes les plus cultivées de son époque.

Dans l'autre parc, le Tierno Galván, dédié à ce bon maire de Madrid, on trouve le **Planétarium de Madrid (6)**, inauguré en 1981 et agrandi à plusieurs reprises au cours de ces dernières années.

Musée de l'Air : Hydravion Dornier DO-24 HD-5.

Enfin, le **Musée de l'Air (7)** (route d'Extremadura km 10,6) présente, sur ses 60 000 m^2 d'exposition, 156 aéronefs de toutes les époques et de multiples objets et documents qui résument l'histoire de l'aviation espagnole, ainsi que l'évolution et le progrès des techniques aérospatiales, fonds qui le convertissent en l'un des cinq plus importants du monde dans son genre.

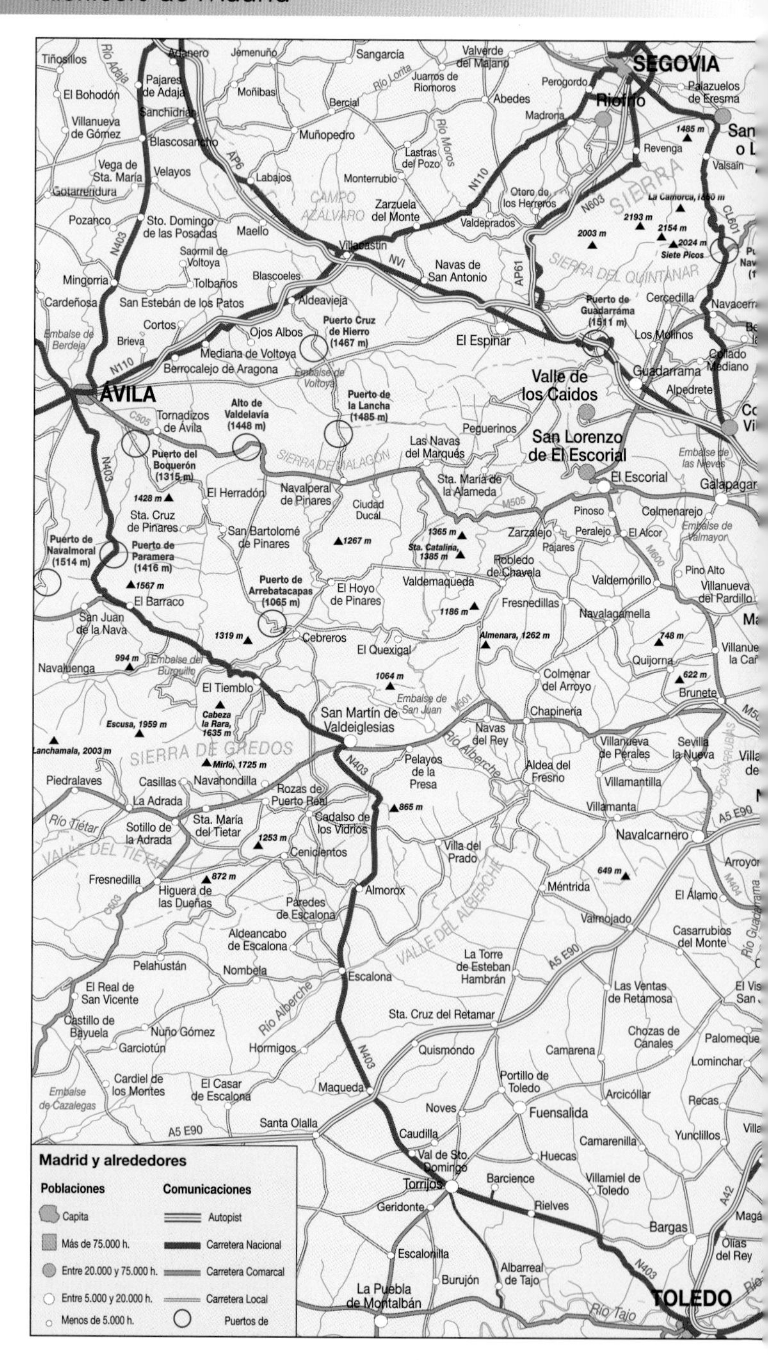
Tiñosillos
Río Adaja
Adanero
Jemenuño
Sangarcía
Valverde del Majano
SEGOVIA
El Bohodón
Pajares de Adaja
Moñibas
Río Lorita
Juarros de Riomoros
Perogordo
Palazuelos de Eresma
Riofrío
Bercial
Abedes
Madrona
Villanueva de Gómez
Sanchidrián
Muñopedro
Río Moros
1485 m
Revenga
Blascosancho
Lastras del Pozo
Valsaín
Vega de Sta. María
Velayos
AP6
N110
Labajos
Monterrubio
Otero de los Herreros
SIERRA
Gotarrendura
CAMPO AZÁLVARO
Zarzuela del Monte
N603
La Camorca, 1860 m
Pozanco
Sto. Domingo de las Posadas
Maello
Valdeprados
2193 m
2154 m
2003 m
2024 m
Siete Picos
CL601
N403
Saornil de Voltoya
Villacastín
NVI
Navas de San Antonio
AP61
SIERRA DEL QUINTANAR
Mingorría
Tolbaños
Blascoeles
Cardeñosa
San Estebán de los Patos
Aldeavieja
Puerto de Guadarrama (1511 m)
Cercedilla
Navacerra
Cortos
Puerto Cruz de Hierro (1467 m)
Embalse de Berdeja
Brieva
Ojos Albos
El Espinar
Los Molinos
Mediana de Voltoya
Collado Mediano
Berrocalejo de Aragona
Guadarrama
Embalse de Voltoya
Valle de los Caidos
Alpedrete
ÁVILA
Alto de Valdelavía (1448 m)
Puerto de la Lancha (1485 m)
C505
Tornadizos de Ávila
Peguerinos
San Lorenzo de El Escorial
Puerto del Boquerón (1315 m)
Las Navas del Marqués
SIERRA DE MALAGÓN
Embalse de las Nieves
El Escorial
Sta. María de la Alameda
Galapagar
1428 m
El Herradón
Navalperal de Pinares
Ciudad Ducal
M505
Pinoso
Colmenarejo
Sta. Cruz de Pinares
San Bartolomé de Pinares
1365 m
Zarzalejo
Peralejo
El Alcor
Embalse de Valmayor
Puerto de Navalmoral (1514 m)
Puerto de Paramera (1416 m)
1267 m
Sta. Catalina, 1385 m
Pajares
M600
Robledo de Chavela
Pino Alto
1567 m
Puerto de Arrebatacapas (1065 m)
El Hoyo de Pinares
Valdemaqueda
Valdemorillo
Villanueva del Pardillo
El Barraco
1186 m
Fresnedillas
Navalagamella
San Juan de la Nava
1319 m
Cebreros
Almenara, 1262 m
748 m
El Quexigal
994 m
Embalse del Burguillo
Quijorna
Navaluenga
1064 m
Colmenar del Arroyo
622 m
El Tiembo
Embalse de San Juan
M501
Brunete
Cabeza la Rara, 1635 m
San Martín de Valdeiglesias
Chapinería
Escusa, 1959 m
Navas del Rey
Lanchamala, 2003 m
SIERRA DE GREDOS
Río Alberche
Villanueva de Perales
Sevilla la Nueva
Mirlo, 1725 m
N403
Pelayos de la Presa
Aldea del Fresno
Piedralaves
Casillas
Navahondilla
Villamantilla
Rozas de Puerto Real
La Adrada
865 m
Villamanta
A5 E90
Río Tiétar
Sotillo de la Adrada
Sta. María del Tietar
Cadalso de los Vidrios
Navalcarnero
VALLE DEL TIETAR
1253 m
Cenicientos
Villa del Prado
Arroyo
Fresnedilla
872 m
649 m
Higuera de las Dueñas
Almorox
Méntrida
C503
M404
El Álamo
Paredes de Escalona
VALLE DEL ALBERCHE
Valmojado
Aldeancabo de Escalona
Casarrubios del Monte
Río Guadarrama
Pelahustán
La Torre de Esteban Hambrán
Nombela
El Real de San Vicente
Escalona
Las Ventas de Retamosa
Río Alberche
Castillo de Bayuela
Sta. Cruz del Retamar
Nuño Gómez
Chozas de Canales
Palomeque
Garciotún
Hormigos
Quismondo
Camarena
Lominchar
N403
Cardiel de los Montes
Portillo de Toledo
Embalse de Cazalegas
El Casar de Escalona
Maqueda
Arcicóllar
Recas
Noves
Fuensalida
A5 E90
Santa Olalla
Caudilla
Camarenilla
Yunclillos
Val de Sto. Domingo
Huecas
Barcience
Villamiel de Toledo
Torrijos
A42
Geridonte
Rielves
Bargas
Olías del Rey
Escalonilla
Albarreal de Tajo
Burujón
N403
La Puebla de Montalbán
TOLEDO
Río Tajo
Madrid y alrededores
Poblaciones
Capita
Más de 75.000 h.
Entre 20.000 y 75.000 h.
Entre 5.000 y 20.000 h.
Menos de 5.000 h.
Comunicaciones
Autopist
Carretera Nacional
Carretera Comarcal
Carretera Local
Puertos de

Lozoya
Embalse de Pinilla
Pinilla del Valle
Canencia
M604
R. Lozoya
1381 m
Garganta de los Montes
Puerto de Canencia (1600 m)
Puerto de la Morcuera (1760 m)
1862 m
1545 m
2113 m
Valdemanco
Bustarviejo
Navalafuente
Cabanillas de la Sierra
Miraflores de la Sierra
Guadalix de la Sierra
Venturada
Soto del Real
Sotosierra
Embalse de El Vellón
Pedrezuela
San Pedro, 1423 m
Los Rancajales
San Agustín de Guadalix
Colmenar Viejo
Valdelagua
M607
Ciudalcampo
Tres Cantos
Fuente del Fresno
del Manzanares
822 m
Embalse de El Pardo
San Sebastián de los Reyes
El Pardo
El Goloso
Valdelatas
Alcobendas
Fuencarral
M110
M50
Aravaca
M40
MADRID
Somosaguas
Leganés
Getafe
Parla
Pinto
A42
683 m
665 m
Torrejón de la Calzada
Valdemoro
A4
Torrejón de Velasco
Colonia Hispania
Yeles
Esquivias
Seseña Nuevo
Seseña
Numancia de la Sagra
Borox
Pantoja
LA SAGRA
Alameda de la Sagra
Cobeja
Añover de Tajo
Castillejo
Villamejor
Colonia Iberia
Ciruelos
Yepes
Cabañas de Yepes
Villasequilla de Yepes
Huerta de Valdecarábanos
Lozoyuela
A1 E5
Cervera de Buitrago
El Atazar
Embalse de El Atazar
El Berrueco
Patones
La Cabrera
Torremocha de Jarama
Redueña
Torrelaguna
Cotos de Monterrey
El Vellón
Valdepiélagos
El Molar
Talamanca de Jarama
Río Jarama
Valdetorres de Jarama
M103
Fuente el Saz de Jarama
Soto de Mozanaque
Algete
Cobeña
Belvís
Ajalvir
Paracuellos de Jarama
Barajas
Torrejón de Ardoz
Aeropuerto
Base Aerea
San Fernando de Henares
Coslada
Vicálvaro
Vallecas
Mejorada del Campo
Velilla de San Antonio
Perales del Río
Rivas-Vaciamadrid
A3
Soto Pajares
La Marañosa
San Martín de la Vega
Siete Villas
683 m
Morata de Tajuña
Ciempozuelos
Las Cubillas
Nuevo Chinchón
Chinchón
Titulcia
Villaconejos
Colmenar de Oreja
Río Jarama
Aranjuez
Ontígola
A4 E5
N400
Noblejas
Ocaña
N301
MESA DE OCAÑA
Dosbarrios
Villatobas
Valdesotos
Alpedrete de la Sierra
Valdepeñas de la Sierra
Tortuero
Puebla del Vallés
992 m
Casa de Uceda
Uceda
El Cubillo de Uceda
Viñuelas
Mesones
Valdeñuno-Fernández
El Casar de Talamanca
N320
Ribatejada
Valdeolmos
799 m
Fresno de Torote
Daganzo de Arriba
M116
Camarma de Esteruelas
Meco
A2 E90
Río Henares
Alcalá de Henares
Valverde de Alcalá
Torres de la Alameda
Loeches
Campo Real
M300
Arganda del Rey
789 m
Valdilecha
Tielmes
Perales de Tajuña
Valdelaguna
Villarejo de Salvanés
Belmonte de Tajo
La Aldehuela
Río Tajo
Villarrubia de Santiago
La Mierla
Beleña de Sorbe
Cogolludo
Aleas
Montarrón
Torrebeleña
Puebla de Beleña
Cerezo de Mohernando
Robledillo de Mohernando
Matarrubia
Alarilla
Humanes de Mohernando
Villaseca de Uceda
Malaguilla
Mohernando
Fuentelahiguera de Albatages
Málaga de Fresno
Heras de Ayuso
Yunquera de Henares
Fontanar
Usanos
Tórtola de Henares
Galápagos
Marchamalo
GUADALAJARA
Torrejón del Rey
Cabanillas del Campo
Iriépal
Valdeavero
Quer
Villanueva de la Torre
Alovera
Chiloeches
Azuqueca de Henares
Yebes
Los Santos de la Humosa
Pozo de Guadalajara
Santorcaz
Pioz
Anchuelo
Villalbilla
Corpa
Pezuela de las Torres
873 m
Nuevo Baztán
Olmeda de las Fuentes
Pozuelo del Rey
Villar del Olmo
CAMPIÑA DE ALCALÁ
Ambite
812 m
Orusco
Cabeza Aguda, 824 m
Carabaña
Brea del Tajo
Valdaracete
Estremera
LAS ENCOMIENDAS
Fuentidueña de Tajo
Los Arenales
Villamanrique de Tajo
Buenamesón
Miralrío
Castillo de Tajo
Zarza de Tajo
Sta. Cruz de la Zarza
N400

Palais Royal Le Pardo (Copyright © Patrimoine National).

ALENTOURS DE MADRID

C'est aux alentours de Madrid que se trouve la majorité des Sites dit Royaux, des palais et des monuments appartenant aujourd'hui à l'État mais affectés à l'usage et au service du Roi et des membres de la Famille Royale. Comme c'est le cas du Palais Royal de Madrid, ils peuvent être visités à l'exception des jours où ont lieu des cérémonies officielles. La province de Madrid présente d'autres centres d'intérêt particuliers tels que Alcalá de Henares ou Chinchón.

Palais Royal de El Pardo. Palais Royal de Aranjuez. Monastère Royal de San Lorenzo de El Escorial. Valle de los Caídos. Autres centres d'intérêts.

Palais Royal de El Pardo

Il se trouve sur les terrains municipaux de Madrid, à 14 km seulement de la ville, entouré par un paysage de chênes et de collines qui forment le mont de El Pardo, ancienne réserve de chasse royale. Il fut construit pour répondre aux désirs de Charles Quint sur les mêmes terrains qui, depuis le XIVème siècle, étaient occupés par des bâtiments réservés aux loisirs des rois. Démolis en 1604 par un incendie, Philippe III en ordonna la rapide reconstruction qui fut agrandie durant les règnes successifs. Ferdinand VI fit clôturer tout le périmètre de la montagne et construire la Puerta de Hierro et le pont de San Fernando qui était la porte d'entrée au site royal. En 1772, Charles III demanda à Francisco Sabbatini un nouvel agrandissement (qui lui donna son aspect actuel). Il fit aussi décorer les salles avec des peintures, des tapisseries, des meubles, des lampes et des horloges que l'on peut admirer encore aujourd'hui. Il

Palais Royal d'Aranjuez (Copyright © Patrimoine National).

faut surtout noter les tapis sur des cartons de Goya, qui, pour ce palais en réalisa cinq de ses séries les plus connues, et des tableaux tels que les portraits d'Isabelle la Catholique, de Juan de Flandes, et de Don Juan José d'Autriche à cheval, de Ribera. Après la guerre civile, le Pardo devint la résidence du général Franco jusqu'à sa mort, puis il fut transformé en 1983 en musée et résidence des Chefs d'État étrangers en visite officielle.

Près du palais, il est recommandé de visiter la **Maisonnette du Prince**, **La Quinta du Duc d'Arc**, aux jardins exquis, et l'église du **Couvent des Capucins**, où sont gardés un Crucifix anciennement taillé par Gregorio Fernández, considéré comme une des œuvres maîtresses de l'imagerie espagnole du XVIIème siècle.

Dans la zone du mont Le Pardo, on trouve aussi le **Palais de la Zarzuela**, résidence officielle de Ses Majestés les Rois. Il s'agit plus exactement d'un palais plus

Galerie des statues de la Petite Maison du Laboureur, jardins du Palais Royal d'Aranjuez (Copyright © Patrimoine National).

simple bâti au XVIIème siècle, d'après les dessins de Juan Gómez de Mora et Alonso Carbonell. Entièrement détruit pendant la Guerre Civile, il fut reconstruit en 1960, en respectant le modèle précédent.

Palais Royal de Aranjuez

Il se trouve À 49 km au sud de Madrid. Sa construction fut commencée par Philippe II avec les mêmes architectes que pour l'Escorial, Juan Bautista de Toledo et Juan de Herrera, et s'acheva sous Fer-

Monastère Royal de San Lorenzo de El Escorial (Copyright © Patrimoine National).

nand VI. Il fut encore agrandi avec deux ailes par Charles III, ces derniers travaux étant entrepris par Sabbatini. Il présente des salons richement décorés avec du mobilier, des tapis et des peintures essentiellement du XVIIIème siècle et parmi lesquels il faut noter le Cabinet de Porcelaine, dont les murs et le toit sont recou-

Monastère Royal de San Lorenzo de El Escorial : Salle des Batailles (Copyright © Patrimoine National).

Vue générale du Valle de los Caídos (Copyright © Patrimoine National).

verts de planches de porcelaine fabriquées dans la Real Fábrica del Buen Retiro. Aussi intéressant si ce n'est plus, il faut souligner la visite de ses merveilleux jardins, jusqu'à la Casa de Marineros, qui abrite le **Musée de Falúas Reales**, et la **Casita del Labrador**, magnifique ensemble néo-classique bâti par Juan de Villanueva.

Monastère Royal de San Lorenzo de El Escorial

Situé à 49 km à l'ouest de Madrid, au pied de la sierra de Guadarrama, déclaré monument Patrimoine de l'Humanité en 1984, le Monastère Royal de San Lorenzo de El Escorial fut le centre politique de l'empire de Philippe II, qui installa ici son palais et sa célèbre bibliothèque, en plus de son panthéon, celui de ses parents, des membres de sa famille et de ses successeurs sur le trône, ainsi que la grande basilique et le monastère. Les travaux eurent lieu entre 1562 et 1584 selon les plans de Juan Bautista de Toledo et Juan de Herrera et les salles du palais ainsi que le monastère furent décorés par des peintres italiens commandés par Philippe II, parmi lesquels Zuccaro, Tibaldi et Cambiaso. De même, sur ses murs sont conservés des oeuvres de grands artistes tels que Bosch, Le Greco, Claudio Coello, Velázquez ou Monegro. Dans le célèbre Palais des Bourbons se trouve un important ensemble de tapis sur cartons de Goya. Dans les jardins, il faut noter la Casita del Príncipe ou de Abajo et la Casita del Infante ou de Arriba, depuis laquelle on peut avoir une vue panoramique sur le monastère, toutes deux construites entre 1771 et 1773 par Juan de Villanueva.

Valle de los Caídos

Non loin de l'Escorial, dans la vallée de Cuelgamuros, les années qui suivirent la guerre civile, le général Franco fit construire le monument de la Valle de los Caí-

Alcalá de Henares : façade principale de l'Université et monument en hommage à Miguel de Cervantès.

dos, dont l'élément le plus spectaculaire est l'immense croix de 150 mètres de haut qui couronne l'ensemble. Creusée dans la roche, se trouve la grande basilique sépulcrale, où sont enterrés le général et plusieurs soldats tombés des deux côtés lors de la guerre civile.

Les amateurs de Sites Royaux peuvent rallonger cette dernière visite jusqu'aux deux autres Sites Royaux, tous deux situés dans la province de Ségovie, à environ 30 km du Valle de los Caídos, ou encore à environ 80 km de Madrid. Il s'agit du Palais Royal de la Granja de San Ildefonso, que l'on appelle également « le Versailles espagnol », en raison de ses salons exquis et de ses jardins, et le Palais Royal de Riofrío. Ces deux Palais, tels que nous les connaissons aujourd'hui, datent du XVIIIème siècle.

Autres centres d'intérêts

À 31 km à l'Est de Madrid, nous trouvons **Alcalá de Henares**, dont l'enceinte historique, riche en palais et en églises, et sa fameuse Université furent déclarés Patrimoine de l'Humanité par l'Unesco, en 1998. L'Université d'Alcalá fut fondée en 1499 par le cardinal Francisco Jiménez de Cisneros et rivalisait déjà à ses débuts avec celle de Salamanque, pour être le principal centre universitaire d'Espagne. Sa façade principale, de style plateresque, réalisée en 1533 par Rodrigo Gil de Hontañón, est le point le plus déconcertant du bâtiment. Mais Alcalá de Henares est aussi très populaire pour être la ville natale de Miguel de Cervantès. Le Musée Maison Natale de Miguel de Cervantès permet aux visiteurs de pénétrer dans l'esprit de l'écrivain le plus universel de la littérature espagnole.

Au sud de Madrid, sont intéressants : le parc thématique **Warner Bros. Park**, qui fut inauguré en avril 2002, à San Martín de la Vega, très proche localité ; et, un peu plus loin, à 44 km de Madrid, **Chinchón**, ville célèbre pour la boisson à laquelle elle a donné son nom, avec son originale et magnifique Grand Place. À noter, au nord de Madrid, les noyaux de **Manzanares el Real**, où est conservé un intéressant château construit en 1435 par le marquis de Santillana, le **monastère de Santa María del Paular**, encastré dans la magnifique vallée de Lozoya, et **Buitrago de Lozoya**, où existe un musée dédié à Picasso, constitué de la petite collection qui appartenait au barbier Eugenio Arias, ami de l'artiste. Toute cette zone, non loin de la **Sierra de Guadarrama**, dont les cimes les plus hautes atteignent plus de 2 000 m, et principalement la **Sierra Norte**, constituent un lieu d'une grande beauté pour les amoureux de la nature et le tout, à seulement une heure de Madrid en voiture.

Warner Bros. Park.

Chinchón : perspective de la Grand Place avec l'église paroissiale.

N

O

P

Q

R

S

T

V

W

INDEX

ITINERAIRES :

I.S.B.N. 978-84-378-1583-1
Imprimée en Espagne
Dépôt Légal B. 16457-2012